Candide

Voltaire

Adaptation du texte : Nicolas Gerrier

CD audio

Durée : 93'52

Format MP3 : les MP3 s'écoutent sur l'ordinateur, sur les baladeurs, les autoradios, les lecteurs CD et DVD fabriqués depuis 2004.

Enregistrements : Quali'sons

Comédien : Philippe Sollier

Piste 1 *Chapitre 1*
Piste 2 *Chapitre 2*
Piste 3 *Chapitre 3*
Piste 4 *Chapitre 4*
Piste 5 *Chapitre 5*
Piste 6 *Chapitre 6*
Piste 7 *Chapitre 7*
Piste 8 *Chapitre 8*

Adaptation du texte et rédaction du dossier pédagogique : Nicolas Gerrier

Édition : Atelier des 2 Ormeaux (Christine Delormeau)

Maquette de couverture : Nicolas Piroux

Maquette intérieure : Sophie Fournier-Villiot (Amarante)

Mise en pages : Atelier des 2 Ormeaux (Franck Delormeau)

Illustrations : Bruno Marivain

ISBN : 978-2-01-401624-6

SOMMAIRE

L'ŒUVRE

Activités

Fiches

CHAPITRE 1

De Westphalie jusqu'au Portugal

Un jeune garçon vit dans le château de M. le baron de Thunder-ten-tronckh, en Westphalie. On l'appelle Candide car il a un esprit simple et une vie douce. Les domestiques[1] de la maison disent qu'il est le fils de la sœur du baron et d'un gentilhomme[2] de la région.

Monsieur le baron de Thunder-ten-tronckh est un puissant seigneur de la Westphalie, car son château a une porte et des fenêtres. Les trois cent cinquante livres[3] de sa femme impressionnent les gens. Leur fille Cunégonde a dix-sept ans. Elle est grasse, fraîche et attirante. Leur fils ressemble à son père.

Le précepteur[4] du château s'appelle Pangloss. Il enseigne la métaphysico-théologo-cosmolo-nigologie. Pour lui, chaque effet a une cause.

– Nos nez sont faits pour porter des lunettes, dit-il. Donc, nous avons des lunettes. Les choses sont comme elles sont. Il ne faut pas dire que tout est bien, mais que tout est *au mieux*.

Ainsi, pour Pangloss, leur monde est le meilleur des mondes possibles, le château du baron est le plus beau des châteaux et la baronne est la meilleure des baronnes.

Candide écoute avec attention les leçons de Pangloss. Il y croit car il trouve que Melle Cunégonde est très belle (mais il

---

1 Un domestique : une personne qui s'occupe de la maison pour les propriétaires.

2 Un gentilhomme : une personne qui appartient à la noblesse.

3 Une livre : un demi-kilo.

4 Un précepteur : un professeur particulier.

ne lui a jamais dit). Pour Candide, le premier des bonheurs est d'être le baron de Thunder-ten-tronckh ; le deuxième est d'être Mlle Cunégonde ; le troisième est de la voir tous les jours ; et le quatrième est d'entendre maître Pangloss, le plus grand philosophe de la région, donc de la terre entière.

Un jour, Cunégonde se promène dans le parc près du château. Elle aperçoit Pangloss avec la petite et jolie femme de chambre[5] de sa mère. Cunégonde observe avec attention *les effets et les causes* expliqués par le maître. Elle espère pouvoir tenter ces expériences avec Candide. Quand elle croise le jeune homme plus tard, ils rougissent tous les deux et échangent quelques mots avec émotion.

---

5 Une femme de chambre : une personne qui nettoie et range la chambre.

Le lendemain, après le dîner, Cunégonde et Candide sont tous les deux derrière un paravent[6]. Cunégonde laisse tomber son mouchoir et Candide le ramasse. Elle lui prend la main avec innocence et il embrasse la sienne avec tendresse. Puis, leurs bouches se rencontrent et leurs mains se touchent.

M. le baron de Thunder-ten-tronckh surprend *cette cause et cet effet*. Il chasse Candide du château à coups de pied dans les fesses et Cunégonde s'évanouit.

C'est la consternation[7] dans le plus beau des châteaux.

Candide marche longtemps au hasard sous la neige puis se couche dans un champ. Le lendemain, il arrive triste, fatigué, frigorifié[8] et affamé[9] dans la ville de Waldberghoff-trarbk-dikdorff. Deux hommes habillés en bleu lui proposent de dîner avec eux :

– C'est trop d'honneur, répond Candide, mais je n'ai pas d'argent pour payer mon dîner.

– Ah ! Monsieur, les gens comme vous ne doivent jamais payer. Vous faites bien cinq pieds cinq pouces de haut[10] ?

– Oui, c'est ma taille.

Les deux hommes invitent Candide et lui donnent également quelques pièces d'argent.

– Aimez-vous ? demande l'un des hommes.

– Oh, oui, répond Candide, j'aime tendrement Melle Cunégonde.

– Non, je vous demande si vous aimez le roi des Bulgares…

Candide ne peut pas répondre car il ne le connaît pas. Les deux hommes boivent à la santé du roi des Bulgares puis disent :

– Vous êtes maintenant le défenseur et le héros des Bulgares. Vous allez être riche.

---

6 Un paravent : un panneau servant à séparer deux espaces.

7 La consternation : une très grande tristesse suite à une mauvaise nouvelle.

8 Frigorifié : avoir très froid.

9 Affamé : avoir très faim.

10 Cinq pieds cinq pouces de haut : une taille d'environ 1,65 mètres.

Ils attachent les pieds de Candide et l'entraînent dans leur régiment. En deux jours, et avec de nombreux coups de bâton, Candide apprend à marcher en rythme et à tirer. Ses camarades le regardent comme un prodige[11].

Un jour du printemps, Candide part se promener. Il marche droit devant lui. Les soldats le rattrapent et le mettent en prison. On lui demande de choisir entre des balles de plomb dans la tête ou des coups de bâton. Candide ne veut ni l'un ni l'autre, mais il doit choisir. Il choisit les coups de bâton. Après quatre mille coups, Candide n'en peut plus et demande à mourir. Le roi des Bulgares passe à ce moment-là et on lui explique la situation. Pour le roi, Candide est un jeune homme qui ne connaît pas les choses de ce monde et il le gracie[12].

Un chirurgien soigne les blessures de Candide en trois semaines. Quand Candide peut de nouveau marcher, le roi des Bulgares commence une bataille contre le roi des Abares.

Les deux armées sont magnifiques. L'harmonie[13] entre les trompettes, les tambours et les canons est parfaite. Tout d'abord, les canons tuent environ six mille hommes de chaque côté. Puis, les mousquets[14] enlèvent près de dix mille hommes du meilleur des mondes. Enfin, les baïonnettes[15] provoquent la mort de plusieurs milliers de soldats. Candide tremble comme un philosophe et se cache pendant la bataille. Puis, il part réfléchir ailleurs sur *les effets et les causes*.

Il arrive dans un village abare. Les Bulgares l'ont brûlé comme ils en ont le droit. Des femmes, des hommes et des enfants pleurent au milieu des morts. Candide s'enfuit au plus vite et arrive

---

11 Un prodige : une personne très douée.
12 Gracier : annuler la condamnation.
13 L'harmonie : l'accord entre différentes musiques.
14 Un mousquet : un petit canon portable.
15 Une baïonnette : un couteau placé à l'extrémité du fusil.

dans un village bulgare. Les Abares y ont fait les mêmes horreurs.

Candide marche jusqu'en Hollande et pense à Melle Cunégonde. La Hollande est un pays riche et chrétien et Candide pense être aussi bien dans ce pays que dans le château de monsieur le baron de Thunder-ten-tronkh. Il fait l'aumône[16], mais on le chasse. Il écoute ensuite un homme parler de la charité[17] pendant une heure.

– Que faites-vous ici ? lui demande l'homme.

– On m'a chassé d'un château, donné des coups de bâton et je demande du pain. Tout est pour le meilleur et les choses sont comme elles doivent être.

– Va t'en misérable, et ne m'approche plus.

Un anabaptiste[18] appelé Jacques vient en aide à Candide. Il le conduit chez lui, lui donne à boire et à manger, lui offre deux florins[19] et veut lui apprendre un métier dans ses manufactures de tissus[20]. Candide s'écrie :

– Maître Pangloss a raison : tout est au mieux dans ce monde.

Le lendemain, Candide rencontre un pauvre homme. Il a la bouche de travers, des boutons sur tout le corps, des trous dans le nez, des dents noires, il parle avec difficulté et crache ses dents.

Candide lui donne les deux florins. L'homme lui saute au cou, mais Candide recule d'horreur.

– Vous ne reconnaissez pas votre cher Pangloss ? lui dit l'homme.

– Vous ? Dans cet horrible état ? Que vous arrive-t-il ? Pourquoi n'êtes-vous pas dans le plus beau des châteaux ? Et où est la merveilleuse Melle Cunégonde ?

Candide conduit Pangloss chez Jacques et lui donne un peu de pain. Pangloss retrouve de la force et répond à la question :

---

16 Faire l'aumône : demander de l'argent.

17 La charité : le fait d'aider les autres, notamment les plus pauvres.

18 Un anabaptiste : une personne qui ne reconnaît pas la valeur du baptême pour les enfants.

19 Le florin : la monnaie de la Hollande.

20 Une manufacture de tissu : un lieu où on fabrique du tissu.

– Elle est morte.

– Où êtes-vous, meilleur des mondes ? se plaint[21] Candide. Est-elle morte car on m'a chassé du château ?

– Non. Des soldats bulgares ont ouvert le ventre à Melle Cunégonde et à son frère. Ils ont cassé la tête de monsieur le baron et ils ont coupé la baronne en morceaux. Mais les Abares ont fait la même chose à un baron bulgare.

Candide s'évanouit[22] puis reprend ses esprits. Il interroge Pangloss sur *la cause, l'effet et la raison suffisante*[23] de son état.

– Hélas, dit Pangloss, c'est l'amour !

– Comment cette belle *cause* peut-elle produire un *effet* aussi horrible ?

– Paquette, la servante de notre baronne, m'a donné la vérole[24]. C'est un religieux qui lui a donné et, le premier de cette chaîne est un compagnon de Christophe Colomb.

– C'est la faute du diable.

– Pas du tout, cette maladie est indispensable dans le meilleur des mondes. Nous avons du chocolat grâce à cela car Colomb était en Amérique.

– C'est vrai, reconnaît Candide. Mais il faut vous soigner.

Candide demande à Jacques de venir en aide à Pangloss et celui-ci le fait soigner. Pangloss perd un œil et une oreille mais devient le teneur des livres[25] de Jacques.

Deux mois plus tard, Jacques doit aller à Lisbonne pour ses affaires. Candide et Pangloss l'accompagnent sur son bateau.

– Tout est on ne peut mieux, dit Pangloss.

– Je ne suis pas d'accord, répond Jacques. Les hommes ne

---

21 Se plaindre : dire son malheur.

22 S'évanouir : perdre connaissance.

23 La raison suffisante : ce qui permet d'expliquer une situation.

24 La vérole : nom familier de la syphillis, maladie sexuellement transmissible.

25 Un teneur de livre : un ancien métier correspondant au comptable d'aujourd'hui.

sont pas nés loups, ils sont devenus loups. Dieu ne leur donne pas d'armes, ils les fabriquent pour se détruire.

– Tout cela est indispensable. Les malheurs de certaines personnes font le bien de tout le monde.

La plus horrible des tempêtes s'abat sur eux lorsque le bateau est juste devant Lisbonne.

La moitié des passagers est malade à cause des mouvements du bateau. L'autre moitié crie et fait des prières. Les voiles du bateau se déchirent, les mâts se brisent et la coque s'ouvre. Jacques essaye de manœuvrer son bateau lorsqu'un matelot[26] furieux le frappe et, dans le même mouvement, tombe à l'eau. Jacques l'aide à remonter sur le bateau, mais il tombe à son tour dans la mer. Le matelot le voit, mais ne fait rien. Candide veut se jeter à l'eau

26 Un matelot : une personne qui travaille sur un bateau.

pour sauver Jacques, mais Pangloss le retient. Pour le philosophe, la rade[27] de Lisbonne est justement là pour permettre à Jacques de se noyer.

Soudain, le bateau se casse entièrement. Tout le monde se noie[28] sauf le matelot, Candide et Pangloss qui rejoignent le rivage[29] à la nage. Mais la terre se met à trembler. Les toits se renversent, les maisons s'écroulent, le feu et la cendre[30] envahissent les rues. Trente mille habitants meurent sous les ruines[31]. Candide, lui, est blessé par des pierres.

– C'est le dernier jour du monde, dit-il à Pangloss. Je meurs, trouve-moi du vin et de l'huile.

– Quelle est la raison suffisante de ce phénomène ? s'interroge le philosophe. L'an dernier, il y a eu un tremblement de terre à Lima, en Amérique. Il doit y avoir un rapport.

– C'est peut-être vrai, mais donne-moi du vin.

– Peut-être vrai ? Je dis que c'est démontré[32].

Candide perd connaissance et Pangloss lui apporte de l'eau.

---

27 Une rade : la partie de la mer située face à un port.

28 Se noyer : mourir dans l'eau.

29 Un rivage : la partie de terre située le long d'une mer.

30 La cendre : la poussière rejetée par un volcan.

31 Les ruines : ce qu'il reste des maisons détruites.

32 Démontré : une explication montre que cela est vrai.

CHAPITRE 2

Candide perd Pangloss, retrouve Cunégonde et part au Paraguay

Le lendemain de la tempête et du tremblement de terre, Candide et Pangloss trouvent de la nourriture dans les ruines et reprennent des forces. Ils aident les habitants comme ils le peuvent. Pangloss essaye de les consoler :

Tout est pour le mieux. Les choses sont là où elles doivent être. Le volcan de Lisbonne est là car il ne peut pas être ailleurs.

Un petit homme noir, proche de l'Inquisition[1], dit avec politesse :

– Si tout est au mieux, il n'y a donc pas eu de péché originel[2], d'après vous ?

– Il était nécessaire au meilleur des mondes, répond poliment Pangloss.

– Vous ne croyez pas à la liberté dans ce cas.

– Si, car il est aussi nécessaire que nous soyons libre et…

Mais l'homme n'écoute plus vraiment le philosophe. Plus tard, on arrête Candide et Pangloss (le philosophe car il parle et l'élève car il écoute et qu'il est d'accord avec son maître) avec trois autres personnes. Les sages[3] du pays pensent qu'un autodafé[4] empêchera la terre de trembler à nouveau.

---

1 L'Inquisition : le tribunal jugeant les actes contraires aux principes par l'Église catholique.

2 Le péché originel: le péché d'Adam et Ève d'après le *Livre de la Genèse*.

3 Les sages : les personnalités importantes du pays.

4 Un autodafé : une cérémonie du jugement de l'Inquisition.

Huit jours plus tard, on habille Candide et Pangloss d'une tenue décorée de flammes et de diables. Puis, on les fait marcher en procession[5] et on leur fait écouter un sermon[6]. Ensuite, on donne des coups de bâton sur les fesses de Candide, on pend Pangloss et on brûle les trois autres accusés. Le même jour, la terre tremble à nouveau.

– Pangloss pendu, Cunégonde le ventre ouvert, Jacques noyé ! se dit Candide à lui-même, si c'est le meilleur des mondes, que sont donc les autres ?

C'est alors qu'une vieille lui dit :

– Courage mon fils, suivez-moi !

La vieille conduit Candide dans une petite maison en mauvais état. Elle lui donne à manger et à boire ainsi que de la pommade[7] pour soigner son corps.

– Mangez, buvez, dormez, lui dit-elle. Que Notre-Dame d'Atocha, monseigneur saint Antoine de Padoue et monseigneur Saint Jacques de Compostelle prennent soin de vous.

Elle lui montre un lit et des vêtements. Candide mange et s'endort. La vieille revient le lendemain et apporte un déjeuner puis, le soir, un dîner. Elle frotte à chaque fois le dos de Candide avec de la pommade. Le lendemain, Candide lui demande pourquoi elle est si bonne et comment il peut la remercier. Mais elle répond simplement :

–Venez avec moi.

Ils marchent ensemble dans la campagne et arrivent à une maison isolée. La vieille frappe à la porte et quelqu'un ouvre. Ils montent un escalier et arrivent dans une pièce dorée. La vieille laisse Candide seul. Le jeune garçon croit rêver : sa vie est triste, mais cet instant est très agréable.

---

5 Une procession : une suite de personnes qui marchent les unes derrière les autres.
6 Un sermon : un discours prononcé par un religieux.
7 Une pommade : une pâte molle qu'on étale sur la peau.

La vieille revient accompagnée d'une femme de grande taille recouverte d'un voile et de bijoux et qui tremble.

– Ôtez ce voile, dit la vieille à Candide.

Candide s'avance et lève le voile avec timidité[8]. Quelle surprise : Melle Cunégonde ! Ses forces le lâchent et Candide tombe aux pieds de la jeune femme qui, elle, se laisse tomber sur un canapé. La vieille leur fait sentir de l'alcool et ils reprennent leurs esprits. Ils se parlent, pleurent et crient. La vieille les laisse en leur disant de faire moins de bruit.

– C'est vous ! dit Candide, vous vivez ! On ne vous a pas ouvert le ventre ?

– Si, mais je ne suis pas morte.

– Et votre frère, vos parents ?

– Ils sont morts.

8 Avec timidité : sans avoir confiance en soi.

– Pourquoi êtes-vous au Portugal ?

– Racontez-moi d'abord votre histoire depuis notre baiser.

Candide raconte d'une voix faible et tremblante. Cunégonde pleure pour Jacques et Pangloss. Puis, elle raconte son histoire :

– Imaginez : je suis dans mon lit quand les Bulgares arrivent dans notre beau château de Thunder-ten-tronckh. Ils tuent mes parents et mon frère, puis un grand Bulgare me viole[9]. Je crie, je me débats, je le mords et je veux lui arracher les yeux, car je ne sais pas à ce moment-là que tout ce qui arrive dans le château est normal. Le Bulgare me donne alors un coup de couteau dans le ventre.

– J'espère voir la marque, dit Candide.

– Vous la verrez, mais je continue mon histoire. Un capitaine bulgare entre dans ma chambre. Il est en colère contre son soldat et il le tue. Il me fait soigner et je deviens sa prisonnière de guerre. Je dois faire sa lessive et son linge. Il me trouve jolie. Lui aussi est beau, mais il n'est pas très intelligent. Trois mois plus tard, il n'a plus d'argent et je ne lui plais plus. Il me vend alors à un Juif nommé Issachar. Celui-ci aime les femmes et a des affaires ici, au Portugal. Il me conduit donc dans cette maison qui est plus belle encore que le château de mon père. Un jour, le grand inquisiteur[10] me voit à la messe. Il veut me racheter, mais Don Issachar refuse. L'inquisiteur le menace d'un autodafé et mon Juif lui propose la chose suivante : la maison et moi appartenons à Issachar les lundis, mercredis et le jour du sabbat[11], et nous appartenons à l'inquisiteur les autres jours de la semaine. Mais ils se disputent encore parfois pour savoir à qui appartient la nuit du samedi au dimanche. Cela dit, j'ai toujours résisté à ces deux hommes et c'est pourquoi ils m'aiment toujours.

Cunégonde continue son histoire :

– Un jour, le grand inquisiteur m'invite à un autodafé donné

---

9 Violer : avoir un rapport sexuel par la force et sans consentement.
10 Un inquisiteur : un membre du tribunal de l'Inquisition.
11 Le sabbat : jour de repos des Juifs, du vendredi soir au samedi soir.

pour éloigner les tremblements de terre et intimider Issachar. Voir Pangloss pendu me bouleverse[12]. Et vous voir nu est l'horreur la plus grande ! Je veux crier : « Arrêtez, barbares », mais je ne peux pas. Je suis prête à mourir, mais je remercie Dieu de vous avoir retrouvé. C'est moi qui demande alors à la vieille de s'occuper de vous et de vous amener ici. Je suis si heureuse de vous revoir, vous entendre et vous parler. Mais vous devez avoir faim ? J'ai faim. Dînons !

Cunégonde et Candide dînent puis s'installent sur le canapé. Issachar arrive à cet instant-là. C'est le jour du sabbat et il vient dire son amour à Cunégonde.

– Quoi ! dit Issachar en voyant Candide, l'inquisiteur ne suffit pas ?

Il se jette sur Candide avec un long couteau. Mais Candide tire son épée et tue le Juif.

– Sainte Vierge ! s'écrie Cunégonde, qu'allons-nous devenir ?

– Pangloss pourrait nous donner un bon conseil car il est un grand philosophe. Mais il est mort. Tant pis, demandons à la vieille.

La vieille donne son avis quand la porte s'ouvre à nouveau : il est une heure du matin, le dimanche commence et c'est le jour de l'inquisiteur. Candide n'hésite pas et tue le religieux.

– Encore un mort, dit Cunégonde, notre dernière heure est arrivée. Vous êtes né si doux Candide, comment pouvez-vous tuer deux hommes en deux minutes ?

– On change quand on est amoureux, jaloux et fouetté par l'Inquisition, répond Candide.

La vieille propose de fuir[13] à cheval :

– Il y a trois chevaux dans l'écurie. Tant pis si je m'assieds[14] sur une seule fesse. Madame, prenez votre argent et vos diamants. Allons à Cadix, il y fait beau là-bas et c'est agréable de voyager dans la fraîcheur de la nuit.

---

12 Bouleverser : faire ressentir une grande émotion.

13 Fuir : partir en vitesse pour échapper à quelqu'un.

14 S'asseoir : se mettre sur un siège en appui sur les fesses.

Candide prépare trois chevaux. Cunégonde, la vieille et lui parcourent trente miles[15] sans s'arrêter. Ils atteignent la ville d'Avacéna, au milieu des montagnes de la Sierra-Morena. Pendant ce temps, on enterre l'inquisiteur dans une belle église et on jette Issachar dans les ordures.

Le lendemain, Candide, Cunégonde et la vieille parlent dans un cabaret[16] de la ville :

– Qui m'a volé mon argent et mes diamants ? pleure Cunégonde. Comment trouver des inquisiteurs et des Juifs qui m'en donnent d'autres ?

– C'est peut-être un religieux qui dormait dans la même auberge que nous, dit la vieille, il est entré deux fois dans notre chambre.

---

15 Un mile : mesure anglaise de longueur valant 1 609 m.

16 Un cabaret : un lieu où l'on peut déjeuner, un restaurant.

– Les biens de la terre appartiennent à tous les hommes, dit Candide, ce religieux devait nous en laisser pour finir notre voyage.

– Comment allons-nous faire ? dit Cunégonde.

– Vendons un cheval, dit la vieille. Je monterai avec mademoiselle, même si je m'assieds sur une seule fesse.

Un prieur bénédictin[17] leur achète le cheval. Cunégonde, Candide et la vieille arrivent à Cadix alors qu'on prépare des bateaux pour emporter des soldats au Paraguay. Ils vont aller se battre contre des pères jésuites[18] qui s'opposent aux rois d'Espagne et du Portugal. Candide montre au général les exercices appris chez les Bulgares. Il le fait très bien et on le nomme capitaine d'une compagnie d'infanterie[19]. Il embarque donc avec les deux femmes sur le bateau, les deux chevaux et deux valets[20].

– Nous allons dans un autre univers, dit Candide. C'est sans doute là-bas que tout est bien.

– Je vous aime de tout mon cœur, dit Cunégonde, mais je suis encore bouleversée par mes aventures.

– Tout ira bien, dit Candide. Cette mer est déjà plus calme que celles d'Europe.

– Je suis si malheureuse, dit Cunégonde, mon cœur n'espère plus.

– Arrêtez de vous plaindre ! intervient la vieille. Mon malheur est plus grand que le vôtre.

Cunégonde rit et rappelle tous ses malheurs depuis sa naissance de baronne jusqu'à son travail de cuisinière.

– Mademoiselle, répond la vieille, que savez-vous de ma naissance ? Et si je vous montre ma fesse…

Cunégonde et Candide sont alors très curieux d'en savoir plus. Ils écoutent la vieille leur raconter ses malheurs.

---

17 Un prieur bénédictin : un responsable de l'ordre religieux de Saint-Benoît.

18 Un père jésuite : un prêtre de l'ordre religieux de la Compagnie de Jésus.

19 L'infanterie : l'ensemble des soldats combattant à pied.

20 Un valet : personne qui est au service d'une autre, un serviteur.

CHAPITRE 3

Candide écoute les malheurs de la vieille et perd Cunégonde

La vieille commence ainsi l'histoire de ses malheurs :

– Je suis la fille du pape Urbain X et de la princesse de Palestrine. Le palais de mon enfance est plus beau que tous les châteaux allemands. Jeune fille, je suis belle et intelligente et tout le monde m'admire. Mon fiancé, un très beau prince de Massa-Carrara à l'esprit brillant, est doux et follement amoureux de moi. Notre mariage doit être le plus extraordinaire, mais une vieille marquise empoisonne mon prince. Je pars avec ma mère sur une magnifique galère[1] près de Gaïète pour oublier notre désespoir. Mais un corsaire[2] de Salé nous attaque. Nos soldats jettent leurs armes et se rendent sans se battre. Vous savez sans que je vous le raconte ce qui arrive à ma mère, mes filles d'honneur, nos simples femmes de chambre et moi sur le navire corsaire, en route vers Maroc. Car ce sont des choses qui arrivent partout.

La vieille raconte ensuite leur arrivée à Maroc :

– En ce temps-là, les cinquante fils de l'empereur Muley Ismaël se battent en permanence[3]. Quand nous arrivons à Maroc, un noir ennemi de notre corsaire veut lui enlever son butin[4]. Nous sommes les biens les plus précieux après l'or et les diamants et un combat violent éclate : ces hommes combattent comme des tigres, des lions

---

1 Une galère : un bateau à voiles et à rames.

2 Un corsaire : un marin qui attaque les bateaux ennemis de son pays.

3 En permanence : tout le temps.

4 Le butin : l'ensemble des biens pris à un ennemi.

et des serpents pour nous avoir ! Mais quand quatre hommes tirent en même temps les bras et les jambes d'une femme, elle se déchire ! Ma mère et les autres femmes sont tuées de cette façon. Moi, on me laisse mourante[5] sur un tas de morts. J'arrive à me traîner sous un grand oranger au bord d'un ruisseau. J'ai froid et faim ; j'ai peur et je suis désespérée ; je suis entre la vie et la mort.

Mais son histoire ne finit pas là :

– C'est alors que je sens un homme blanc parlant italien bouger sur moi. Je suis heureuse d'entendre la langue de mon pays. Il m'emporte dans une maison non loin de là, me met au lit et me donne à manger. Il dit n'avoir jamais rien vu de plus beau que moi. Chose incroyable : c'est un ancien musicien de la chapelle de ma mère ! Je lui raconte mes malheurs, il me raconte les siens. Il me promet de me ramener en Italie, mais il me conduit à Alger et me vend au dey[6]. C'est à cette époque que la peste[7] arrive à Alger. Avez-vous eu la peste, mademoiselle ?

– Jamais, répond Cunégonde.

– Elle est plus terrible qu'un tremblement de terre. Mais je ne suis pas morte, au contraire du musicien, du dey et de presque tout le sérail[8]. On me vend alors à un marchand qui m'emmène à Tunis, puis à un autre qui me vend à Tripoli ; je suis ensuite vendue à Alexandrie, à Smyrne et à Constantinople. Je deviens après la propriété d'un aga des janissaires[9]. Il m'emmène avec lui quand il part défendre la ville d'Azof contre les Russes. Mais les Russes encerclent la ville et, bientôt, nous sommes affamés. Les soldats veulent manger les femmes. Heureusement, l'iman[10] leur donne une autre idée : commencer par couper une fesse à chaque

---

5 Mourante : presque morte.

6 Le dey d'Alger : le chef de la région à cette époque.

7 La peste : une très grave maladie.

8 Le sérail : le palais d'un sultan, ainsi que toutes ses femmes.

9 Un aga des janissaires : un chef militaire turc.

10 Un iman (imam): un chef religieux musulman.

femme. L'opération est atroce ! Lorsque les Russes attaquent, ils tuent tous les soldats. Un chirurgien français nous soigne et nous console : pour lui, la chose est normale, c'est la loi de la guerre.

Mais les malheurs de la vieille ne s'arrêtent pas là :

– Je deviens ensuite la jardinière d'un noble russe. Il me donne vingt coups de fouet par jour. Je réussis à m'enfuir et je traverse toute la Russie. Je suis servante dans des cabarets à Riga, Rostock, Wismar, Leipsick, Cassel, Utrecht, Leyde, La Haye et Rotterdam. Je pense alors souvent à me tuer, mais j'aime encore la vie. Voilà mon histoire. Je finis servante chez Issachar et je me prends d'affection pour vous, mademoiselle. Je ne parle jamais de mes malheurs mais vous m'avez énervée avec vos plaintes. Demandez à tous les passagers de ce bateau de vous raconter leur vie : chacun a pensé un jour être le plus malheureux des hommes. Si ce n'est pas vrai, jetez-moi dans l'eau.

Candide et Cunégonde écoutent les aventures de tous les passagers du bateau. La vieille a raison.

– Pangloss pourrait nous dire de belles choses sur le mal physique et le mal moral, dit Candide, et cette fois-ci, je ferais des objections[11].

Le bateau arrive à Buenos-Ayres[12]. Cunégonde, le capitaine, Candide et la vieille vont chez le gouverneur, Don Fernando d'Ibaraa, y Figueroa, y Mascarenez, y Lampourdos, y Souza. C'est un homme fier et son allure de dédain[13] donne envie de lui donner des coups. Il remarque tout de suite Cunégonde et demande si elle est la femme du capitaine. Candide ne veut pas dire oui (Cunégonde n'est pas sa femme) ; il ne veut pas dire qu'elle est sa sœur (car elle ne l'est pas et qu'il ne veut pas mentir) :

---

11 Une objection : un propos qui s'oppose à une idée.
12 Buenos-Ayres : Buenos Aires.
13 Une allure de dédain : il donne l'impression de ne pas respecter les autres.

– Cunégonde doit m'épouser, dit Candide. Acceptez-vous de nous marier ?

Le gouverneur soulève sa moustache, sourit et envoie Candide retrouver ses soldats. Puis, il déclare sa passion à Cunégonde et veut l'épouser dès le lendemain. Cunégonde demande un quart d'heure pour réfléchir et demande son avis à la vieille :

– Épousez ce grand seigneur de l'Amérique du Sud. Il a une très belle moustache et vous ne devez rien à Candide.

Pendant que la vieille parle avec l'expérience de son âge, un vaisseau[14] entre dans le port de Buenos-Ayres. Des membres de la justice espagnole se trouvent à son bord. Ils recherchent les meurtriers du grand inquisiteur.

– Inutile de fuir, dit la vieille à Cunégonde. Vous êtes innocente[15] et le gouverneur vous protégera car il vous aime.

Puis, la vieille court chercher Candide et lui dit :

– Fuyez ou dans une heure on vous brûlera !

---

14 Un vaisseau : un grand bateau à voiles.
15 Être innocent : n'avoir rien fait de mal.

CHAPITRE 4

Pourquoi Candide tue son ancien maître et deux singes

Candide doit fuir de Buenos-Ayres car la justice espagnole le recherche pour le meurtre du grand inquisiteur. Son valet Cacambo prépare deux chevaux et dit :

– Fuyons sans regarder en arrière.

– Ô ma chère Cunégonde, pleure Candide, le gouverneur doit nous marier et je vous abandonne. Qu'allez-vous devenir ?

– Une femme trouve toujours une solution, dit Cacambo.

– Mais tu nous emmènes où ? Que faire sans Cunégonde ?

– Je vous conduis chez les Jésuites. Ils seront heureux de vous rencontrer car vous connaissez les exercices militaires bulgares. Vous vous battrez pour eux et serez riche !

– Tu connais le Paraguay ?

– Bien sûr. J'ai d'ailleurs du sang espagnol et mon père est métis[1]. J'ai déjà travaillé pour *los Padres*[2] dans leur collège de l'Assomption. Je connais leur royaume. *Los Padres* ont tout et le peuple n'a rien. *Los Padres* tuent des Espagnols ici et, en Europe, ils confessent[3] les rois d'Espagne et du Portugal. Ici, vous allez être le plus heureux des hommes !

Quand ils arrivent à la première barrière du royaume des Jésuites, Cacambo demande aux soldats de la garde de parler au commandant.

---

1 Un métis : un homme dont les parents sont d'origines géographiques différentes.

2 *Los Padres* : *les pères*, nom des prêtres de l'ordre catholique de la Compagnie de Jésus.

3 Confesser : dire ses péchés à un prêtre.

– Vous devez attendre le retour du révérend père de la province dans trois heures, dit un militaire, car un Espagnol ne peut parler que si le révérend père est là.

– Mais, dit Cacambo, nous mourons de faim et le capitaine n'est pas espagnol, mais allemand !

Le militaire prévient le commandant.

– Dieu soit béni ! dit le commandant. Il est allemand, je peux lui parler.

On conduit Candide dans un petit jardin décoré d'une colonne de marbre vert et or et d'oiseaux très rares enfermés derrière des branches. Un excellent déjeuner est préparé dans des vases d'or. Plus loin, au milieu d'un champ et sous un chaud soleil, les Paraguayens mangent du maïs dans des assiettes en bois. On rend leurs armes et leurs chevaux à Candide et à Cacambo, puis le commandant arrive. C'est un beau jeune homme à l'allure fière. Candide embrasse le bas de la robe du commandant et ils déjeunent ensemble.

– Vous êtes donc allemand, dit le commandant avec émotion. De quel pays venez-vous ?

– De Westphalie. Je suis né dans le château de Thunder-ten-tronckh.

– Est-ce possible ? s'écrie le commandant. Est-ce vous ?

– Ce n'est pas possible ! dit Candide.

Ils s'embrassent et pleurent de longs instants.

– Vous, le fils de monsieur le baron et le frère de Cunégonde ! dit Candide. Les Bulgares ne vous ont pas tué dans votre château ? Vous êtes maintenant jésuite au Paraguay ? Le monde est étrange. Et Pangloss qui n'est plus là…

Le commandant remercie Dieu et saint Ignace. Il serre Candide dans ses bras. Le commandant lui raconte son histoire :

– Je me souviens de la mort de mes parents. Ce jour-là, quand les Bulgares quittent le château, on me met dans une charrette

avec d'autres personnes pour nous enterrer dans une chapelle jésuite près de là. Un jésuite nous jette dans l'eau bénite. Elle est salée et me pique les yeux. Je bouge alors les paupières et le jésuite voit que je ne suis pas mort et me soigne. Comme je suis beau garçon, le supérieur jésuite, le révérend père Croust, devient mon ami. Il me donne l'habit de novice[4]. On m'envoie à Rome car le père général a besoin de jésuites allemands pour le Paraguay. Je suis aujourd'hui colonel et prêtre. La Providence[5] vous envoie pour nous aider à battre l'armée du roi d'Espagne.

Candide lui apprend que Cunégonde est vivante et se trouve chez le gouverneur de Buenos-Ayres.

Les deux hommes s'embrassent de nouveau en pleurant.

– Ah, mon sauveur, mon frère, dit le commandant, nous allons peut-être entrer en vainqueurs[6] dans Buenos-Ayres et reprendre ma sœur !

– Je le souhaite, dit Candide, car je veux l'épouser.

– Vous ? Ma sœur est bien trop noble pour vous. C'est impossible !

– Mon révérend père[7], se justifie Candide, je l'ai sauvée d'un Juif et d'un inquisiteur, et elle veut aussi m'épouser. Pangloss m'a toujours dit que les hommes sont égaux, je l'épouserai !

Le baron de Thunder-ten-tronckh donne alors un coup du plat de son épée sur le visage de Candide. Candide enfonce son épée dans le ventre du baron puis se met à pleurer :

– Mon Dieu, j'ai tué mon ancien maître, mon ami, mon beau-frère[8]. C'est le troisième homme que je tue, moi, le meilleur homme du monde.

Cacambo rejoint Candide dans le jardin et habille son maître avec la robe et le bonnet du jésuite.

---

4 L'habit de novice : la première étape avant d'appartenir à une communauté religieuse.

5 La Providence : ici, Dieu.

6 Un vainqueur : la personne qui remporte une victoire, qui gagne un combat.

7 Révérend père : titre d'honneur donné à un religieux.

8 Un beau-frère : un frère de sa femme.

Puis les deux hommes montent à cheval et s'enfuient. Cacambo crie :

– Place, place pour le révérend père colonel.

Les deux hommes réussissent à quitter le royaume et s'enfoncent dans un pays inconnu et sans route. Ils arrivent dans une belle prairie et s'arrêtent pour manger les vivres[9] emportés par Cacambo.

– J'ai tué le fils de monsieur le baron et je ne reverrai jamais Cunégonde. Comment manger ? Pourquoi continuer à vivre dans le remords[10] et le désespoir ?

Ils entendent alors des petits cris poussés par des femmes. Ils se lèvent et aperçoivent deux filles toutes nues poursuivies par deux singes leur mordant les fesses. Candide prend son fusil et tue les deux singes.

– Dieu soit loué, dit-il, j'ai tué un inquisiteur et un jésuite, mais je sauve la vie à deux filles. Cela peut nous aider dans ce pays si elles sont de bonne condition[11].

Mais ils voient les deux jeunes filles embrasser tendrement les singes et pleurer de douleur.

– Eh bien, dit Candide, voilà de bonnes personnes.

– Vous venez de tuer les deux amants de ces demoiselles, dit Cacambo.

– Leurs amants ? Est-ce possible ?

– Pourquoi vous étonner ? Ce sont presque des hommes comme je suis presque espagnol. Mais j'ai peur que ces filles ne nous attirent des ennuis.

Les deux hommes se cachent dans un bois. Ils dînent puis s'endorment sur la mousse. À leur réveil, une cinquantaine d'Oreillons, les habitants du pays, les entourent. Ils sont nus et armés. Certains font bouillir une grande marmite et d'autres

---

9 Les vivres : la nourriture.

10 Un remords : le sentiment d'avoir mal fait.

11 Une condition : vieux mot pour le « rang social », la place dans la société.

préparent des broches. Candide et Cacambo ne peuvent pas bouger car ils sont solidement attachés avec des cordes en écorce[12] d'arbres.

– C'est un jésuite, crient-ils. Mangeons-le ! Il sera puni[13] et ce sera notre repas.

Candide s'écrie :

– Ah, que dirait maître Pangloss ? Tout est bien, d'accord, mais avoir perdu Melle Cunégonde et finir mangé par les Oreillons n'est pas la meilleure des choses.

– Ne perdez pas espoir, dit Cacambo. Je connais un peu leur langue, je vais leur parler.

– N'oubliez pas de leur dire qu'il n'est pas chrétien de faire cuire des hommes.

12 Une écorce : la partie extérieure des branches et du tronc d'un arbre.

13 Punir : donner une peine à quelqu'un pour réparer une faute.

Cacambo s'adresse aux Oreillons :

– Messieurs, vous voulez manger un jésuite ? Il est juste de faire cela avec ses ennemis. Le droit naturel nous permet de tuer notre prochain et nous le faisons partout sur la terre. Mais vous ne voulez pas manger vos amis. Vous n'allez pas manger un jésuite, mais l'ennemi de vos ennemis. Ce monsieur, mon maître, vient de tuer un jésuite et c'est sa robe qu'il porte. Pour le vérifier, allez avec cette robe à la première barrière du royaume de *los Padres* et demandez-leur.

Les Oreillons trouvent le discours raisonnable. Deux d'entre eux partent vérifier puis, à leur retour, délivrent Candide et Cacambo. Ils traitent ensuite les deux hommes en amis, puis ils les reconduisent aux portes de leur territoire.

– Il n'est pas jésuite, il n'est pas jésuite ! crient-ils.

Candide est émerveillé :

– Quels hommes ! Ils m'auraient mangé si je n'avais pas tué le frère de Melle Cunégonde. Mais la nature est bonne puisqu'ils sont devenus très aimables en apprenant que je ne suis pas jésuite.

– Cet hémisphère[14] n'est pas mieux que l'autre, dit Cacambo. Retournons en Europe.

– Comment y aller et où ? répond Candide. Dans mon pays, les Bulgares et les Abares tuent tout le monde ; au Portugal, on me brûle ; ici, on veut me manger. Pourquoi partir si Melle Cunégonde habite ici ?

– Allons à la Cayenne, les Français pourront nous aider.

Candide et Cacambo savent à peu près vers où aller, mais il y a des obstacles terribles : des montagnes, des fleuves, des bandits et des sauvages. Bientôt, ils n'ont plus rien à manger et leurs chevaux meurent.

---

14 Un hémisphère : une moitié du globe terrestre entre l'équateur et un pôle.

– Il y a un canot[15] sur cette petite rivière, dit Cacambo, laissons le courant[16] nous conduire.

Ils montent dans le canot. La rivière devient vite plus large et s'enfonce sous des rochers. Elle les emporte ainsi pendant vingt-quatre heures avant de les ramener à l'air libre. Ils découvrent alors un paysage qui semble cultivé[17] pour le plaisir et le besoin, l'utile et l'agréable. Des voitures tirées par de rapides moutons rouges transportent des hommes et des femmes d'une grande beauté.

– Ce pays est mieux que la Westphalie, dit Candide.

Ils voient alors des enfants qui jouent à l'entrée d'un village avec de larges palets[18] de couleur jaune, rouge et vert. Candide saisit quelques palets à l'éclat[19] extraordinaire : ce sont de l'or, des émeraudes et des rubis.

– Ces enfants doivent être les fils du roi de ce pays, dit Cacambo.

Lorsqu'un homme les appelle pour rentrer à l'école, les enfants laissent leur jeu.

– C'est sans doute le précepteur de la famille royale, dit Candide.

Candide prend les palets laissés par les enfants et les apporte au précepteur. L'homme sourit et jette les palets par terre en regardant Candide avec surprise, puis il continue son chemin.

– Où sommes-nous ? dit Candide en reprenant les palets. Ces enfants de rois sont bien élevés pour ne pas s'intéresser à l'or et aux pierres précieuses.

---

15 Un canot : une petite embarcation pour aller sur l'eau.
16 Le courant : le mouvement de l'eau.
17 Cultiver : travailler la terre.
18 Un palet : une pierre plate.
19 L'éclat : l'aspect d'une pierre donné par la couleur et la lumière.

CHAPITRE 5

Ce que Candide fait en Eldorado et pourquoi il le quitte

Candide et Cacambo se dirigent vers la première maison du village. Celle-ci ressemble à un palais d'Europe et de nombreuses personnes attendent à l'extérieur et à l'intérieur. Il y a dans l'air une agréable musique et une odeur délicieuse de cuisine. Cacambo entend parler péruvien, sa langue maternelle. Il propose à Candide d'être son interprète. Les deux hommes entrent

dans le cabaret où ils sont accueillis par deux garçons et deux filles richement habillés. On les installe à la table des invités et on leur sert un repas extraordinaire dans des plats en cristal de roche. Cacambo échange quelques mots aimables avec les autres clients.

Candide et Cacambo jettent deux palets sur la table pour payer le repas. Leurs hôtes[1] éclatent de rire :

– Messieurs, vous êtes des étrangers et vous n'avez pas d'argent de ce pays, mais cela n'est pas nécessaire car c'est le gouvernement qui paye. Notre village est pauvre et vous avez mal mangé, mais ailleurs vous serez mieux reçus.

Candide écoute la traduction de Cacambo :

– Quel est ce pays ? se dit-il. Celui où tout va bien ? Pangloss dit que c'est la Westphalie, mais je crois plutôt que c'est ici.

Cacambo veut en savoir plus et on les amène chez un vieillard, l'homme le plus savant du royaume. Sa maison est simple : il n'y a que de l'argent, de l'or, des rubis et des émeraudes. Mais tout est bien fait. Le vieillard les reçoit sur des coussins recouverts de plumes de colibri[2]. Il leur fait apporter des boissons dans des vases de diamant puis leur explique :

– J'ai cent soixante-douze ans. Nous sommes ici dans l'ancienne patrie des Incas[3]. Il y a très longtemps, une partie de ce peuple est partie conquérir le monde. Les Espagnols les ont tués. Ceux qui sont restés ici ont décidé de ne jamais sortir de notre royaume. Les Espagnols l'appellent Eldorado. Un Anglais est venu tout près d'ici il y a cent ans. Mais de très hauts rochers et des précipices[4] nous entourent, nous sommes à l'abri[5] des nations de l'Europe. Celles-ci adorent nos cailloux et notre terre, elles pourraient nous tuer pour les prendre.

---

1 Un hôte : ici, la personne qui reçoit.
2 Un colibri : un tout petit oiseau au plumage éclatant.
3 Les Incas : un ancien peuple d'Amérique du Sud.
4 Un précipice : un grand trou très profond.
5 À l'abri : hors de danger.

On parle ensuite du gouvernement, des mœurs[6], des femmes, des spectacles et des arts de ce pays. Candide demande s'il existe une religion.

– Nous avons la religion de tous, répond le vieillard. Nous adorons Dieu du soir au matin.

– Vous avez un seul dieu ? insiste Candide, toujours traduit par Cacambo.

– Les gens de votre monde ont de drôles de questions, il n'y a pas deux ou trois ou quatre dieux !

– Vous le priez comment ?

– Nous ne le prions pas. Nous ne lui demandons rien. Il nous donne tout ce qu'il nous faut. Nous le remercions.

– Peut-on voir des prêtres ? demande Candide.

– Nous sommes tous prêtres. Le roi comme les chefs de famille chantent des cantiques[7] tous les matins avec cinq ou six mille musiciens.

– Quoi ! Vous n'avez pas de moines qui enseignent, gouvernent et brûlent les gens qui ne sont pas de leur avis ?

– Nous ne sommes pas fous, nous sommes tous du même avis.

Candide est admiratif :

– Le château de Thunder-ten-tronckh est le meilleur des mondes pour Pangloss. Mais il ne connaît pas Eldorado. Il faut vraiment voyager.

Cacambo et Candide sont ensuite conduits à la cour du roi dans un carosse tiré par six moutons volants. La porte du palais est haute de deux cent vingt pieds[8]. Sa matière, inconnue à Candide et Cacambo, est bien supérieure à l'or et aux pierres précieuses.

Vingt belles filles accueillent Candide et Cacambo et les

---

6 Les mœurs : les manières de vivre.

7 Un cantique: un chant religieux.

8 Un pied : ancienne mesure égale à la taille d'un pied adulte, soit environ trente centimètres.

conduisent aux bains. Elles les habillent de robes de plumes de colibri et on les mène dans l'appartement de Sa Majesté. Ils passent au milieu de deux files de mille musiciens chacune, comme cela se fait pour tous les invités du roi. Cacambo demande comment ils doivent saluer le roi.

– Il faut l'embrasser sur les deux joues.

Candide et Cacambo sautent donc au cou de Sa Majesté qui les invite à dîner le soir même. Avant le repas, on leur fait visiter la ville. Candide veut voir le palais de justice[9], mais il n'y en a pas. Il n'y a pas de prison non plus. Par contre, il y a un palais des sciences avec de nombreux instruments de mathématiques et de physique.

Après leur visite, ils passent un excellent dîner : la nourriture est merveilleuse et le roi a beaucoup d'esprit.

Candide et Cacambo restent un mois dans ce pays, puis le maître dit à son valet :

– Cet endroit est mieux que le château du baron, mais Melle Cunégonde n'y est pas. Ici, nous sommes comme les autres. Partons avec douze moutons chargés de cailloux et, chez nous, nous serons plus riches que tous les rois ensemble.

Ils demandent donc à Sa Majesté de pouvoir partir.

– Vous faites une erreur, dit le roi. Mais je ne peux pas vous retenir, tous les hommes sont libres. Partez quand vous voulez. Mais la sortie est difficile : il est impossible de remonter la rivière et les montagnes sont très hautes. Je vais faire construire une machine qui vous permettra de passer au-dessus des montagnes. Mais personne ne viendra avec vous, mes habitants ne peuvent pas sortir d'ici. Voulez-vous autre chose ?

– Simplement quelques moutons chargés de vivres, de cailloux et de boue, dit Cacambo.

– Je ne comprends pas le goût des gens d'Europe pour notre boue jaune, rit le roi. Prenez tout ce que vous voulez !

---

9 Un palais de justice : un lieu où l'on rend la justice, où se déroulent les procès.

Trois mille physiciens[10] travaillent sur la machine et celle-ci est prête quinze jours plus tard. Candide et Cacambo y embarquent avec vingt moutons chargés de nourriture, trente portant des cadeaux étranges et cinquante chargés d'or et de pierres précieuses.

Le roi embrasse les deux voyageurs et la machine les hisse[11] au sommet des montagnes. Candide n'a qu'une idée en tête : montrer ses moutons à Melle Cunégonde.

– Nous pouvons aller acheter Melle Cunégonde au gouverneur de Buenos-Ayres. Et nous achèterons ensuite un royaume !

Le jour suivant, Candide et Cacambo sont heureux de leur situation car ils ont plus de trésors que l'Asie, l'Europe

---

10 Un physicien : un spécialiste de la physique, science de la matière, de l'espace et du temps.

11 Hisser : faire monter.

et l'Afrique. Candide écrit le nom de Cunégonde sur les arbres. Mais, le deuxième jour de leur voyage, deux moutons s'enfoncent dans les marais[12]. Quelques jours plus tard, c'est au tour de sept ou huit moutons de mourir de faim dans le désert. Plus tard encore, d'autres moutons tombent au fond de précipices.

– Tu vois, dit Candide à Cacambo, les richesses ne durent pas longtemps. Seuls la vertu[13] et le bonheur de revoir Cunégonde sont solides.

– Mais il nous reste encore beaucoup de trésors. Je crois apercevoir là-bas une ville du nom de Surinam. Elle appartient aux Hollandais. Nous sommes au bout de nos malheurs.

Ils approchent de la ville et rencontrent un nègre[14] allongé par terre, à demi-nu. Il lui manque la jambe gauche et le bras droit. Candide lui pose des questions sur son état.

– J'attends mon maître, M. Vanderdendur, le négociant[15].

– C'est à cause de lui que tu es ainsi ?

– Oui, c'est l'usage[16]. Nous avons le droit à un pantalon de toile tous les deux ans. Si nous perdons un doigt en travaillant à la sucrerie, on nous coupe la main. Si nous voulons fuir, on nous coupe la jambe. C'est à ce prix que vous mangez du sucre en Europe.

– Ô Pangloss, s'écrie Candide, je ne peux plus croire à ton optimisme.

– Qu'est-ce que l'optimisme ? demande Cacambo.

– C'est la volonté de soutenir que tout est bien quand tout est mal, dit Candide en pleurant.

---

12 Un marais : une étendue d'eau entourée de terre et envahie de plantes.

13 La vertu : la qualité de faire le bien.

14 Un nègre : une personne à la peau noire (mot péjoratif et raciste).

15 Un négociant : une personne qui achète et vend des biens.

16 L'usage : ce qui se fait habituellement.

À Surinam, ils cherchent un bateau pour Buenos-Ayres et Candide raconte à un patron espagnol son intention[17] d'acheter Melle Cunégonde.

– Je ne peux pas vous emmener à Buenos-Ayres pour cela. Melle Cunégonde est la maîtresse favorite de monseigneur. On nous pendrait !

Candide pleure longtemps en apprenant cela puis il dit à Cacambo :

– Tu n'as pas tué d'inquisiteur, tu ne crains rien à Buenos-Ayres. Va prendre Cunégonde. Nous avons chacun cinq ou six millions de diamants dans nos poches. Donne un million au gouverneur. S'il refuse, donne-lui deux millions. Moi, je t'attends à Venise, c'est un pays libre sans Bulgares, Abares, Juifs ou inquisiteurs.

Cacambo ne veut pas quitter son bon maître, mais il est heureux de lui rendre service et part le jour même.

Candide prépare son voyage pour Venise : il trouve des domestiques et achète tout ce qu'il faut pour un long voyage. Il demande à M. Vanderdendur, le propriétaire d'un vaisseau[18] :

– Combien voulez-vous d'argent pour me conduire à Venise avec mes domestiques, mes bagages et mes deux moutons ?

– Dix mille piastres[19].

Candide accepte l'offre un peu vite.

– Cet étranger doit être très riche, se dit M. Vanderdendur.

Le propriétaire du bateau lui demande alors vingt mille piastres. Candide accepte et l'homme lui demande alors aussitôt trente mille piastres. Candide accepte.

– Oh ! Oh ! se dit Vanderdendur. Ses moutons doivent porter des trésors !

---

17 Une intention : une chose qu'on veut faire.

18 Un vaisseau : un grand bateau à voiles.

19 Une piastre : une monnaie d'or.

M. Vanderdendur embarque les moutons alors que Candide suit dans un petit bateau pour rejoindre le vaisseau. Mais le propriétaire ne l'attend pas et Candide voit le vaisseau partir au loin. Candide rejoint le rivage et va se plaindre chez le juge hollandais car il vient de perdre beaucoup d'argent.

Mais Candide crie trop fort et le juge lui fait payer dix mille piastres pour le bruit. Puis il l'écoute, lui promet de faire quelque chose et lui fait payer dix mille piastres pour l'entretien.

Candide a déjà vécu des malheurs plus douloureux, mais la façon d'agir des deux hommes le rend très triste. Il décide de louer une chambre sur un bateau français qui part pour Bordeaux. Il propose ensuite deux mille piastres à l'homme le plus malheureux de la province pour l'accompagner dans son voyage. De nombreuses personnes viennent le trouver pour lui raconter leur vie. Candide offre à tout le monde à dîner et écoute les histoires jusqu'à quatre heures du matin.

– Que de gens malheureux ! Comment défendre les idées de Pangloss ? Si tout va bien quelque part, c'est dans Eldorado et nulle part ailleurs[20] sur la terre.

Candide choisit un pauvre savant du nom de Martin, volé par sa femme, battu par son fils, abandonné par sa fille, et sans travail. Il donne cent piastres à tous les autres, qui sont aussi très malheureux.

---

20 Nulle part ailleurs : dans aucun autre endroit.

CHAPITRE 6

Ce qui arrive en France à Candide et Martin

Candide et Martin, le savant, embarquent sur le bateau en direction de la France. Candide est moins malheureux que le pauvre homme : il espère revoir Cunégonde et il a de l'or et des diamants. Ainsi, malgré tous ses malheurs, il croit encore aux idées de Pangloss, surtout à la fin des repas.

– Et vous, demande-t-il à Martin, que pensez-vous du mal moral et du mal physique ?

– Je suis manichéen[1]. Dieu a abandonné le monde à un être malfaisant[2]. Chaque ville veut détruire sa voisine, chaque famille veut tuer une autre famille, les puissants traitent les faibles comme des animaux, les faibles détestent les puissants.

– Il y a pourtant du bon, dit Candide.

– Peut-être, mais je ne le connais pas.

Les deux hommes entendent alors des coups de canon et voient deux vaisseaux se combattre au loin. Bientôt, l'un des bateaux coule[3] et son équipage[4] disparaît dans les eaux.

– Voilà comment les hommes se traitent, dit Martin.

– C'est diabolique[5] en effet, dit Candide.

---

1 Manichéen : le manichéisme sépare et oppose le bien et le mal.
2 Malfaisant : qui aime faire le mal.
3 Couler : disparaître dans l'eau.
4 Un équipage : toutes les personnes qui travaillent sur le bateau.
5 Diabolique : qui vient du diable.

Candide aperçoit alors un point rouge nager vers leur bateau : c'est un de ses moutons. Le bateau coulé est en effet celui du propriétaire hollandais, M. Vanderdendur.

– Le crime est parfois puni, dit Candide à Martin.

– Oui, dit Martin, mais pourquoi son équipage est-il mort aussi ? Dieu a puni votre homme, mais le diable noie les autres.

Candide et Martin parlent de la vie pendant les quinze jours suivants. Ils n'avancent pas beaucoup, mais, au moins, ils échangent leurs idées.

Candide caresse souvent son mouton :

– Nous sommes de nouveau ensemble, lui dit-il. Je vais peut-être aussi retrouver Cunégonde.

Le bateau arrive près des côtes de France.

– Vous connaissez la France ? demande Candide à Martin.

– Oui. Certains habitants sont fous, d'autres doux et bêtes, d'autres ont un bel esprit[6]. Les Français s'occupent en premier de l'amour, puis de dire du mal des autres et, enfin, de dire des bêtises.

– Et Paris ?

– C'est un mélange de tout cela.

Candide veut rejoindre au plus vite Venise pour retrouver Cunégonde. Le savant accepte de le suivre.

– À votre avis, demande Candide, la Terre était-elle avant une mer comme le dit le livre du capitaine de ce bateau ?

– Je ne crois pas toutes les bêtises qu'on raconte.

Candide veut ensuite savoir si, d'après Martin, les hommes ont toujours été menteurs, fourbes, perfides, ingrats, brigands, faibles, volages, lâches, envieux, gourmands, ivrognes, avares, ambitieux, sanguinaires, calomniateurs, débauchés, fanatiques, hypocrites et sots.

– Les animaux ne changent pas, donc l'homme ne change pas.

– Il y a une différence quand même : le libre arbitre[7]…

Les deux hommes continuent de discuter et le bateau arrive à Bordeaux.

Candide vend dans la ville quelques cailloux et achète une chaise à deux places[8] pour pouvoir parler avec Martin. Ils rencontrent des voyageurs qui vont tous à Paris. Alors, Candide veut aussi aller dans cette ville. Ils entrent dans Paris par le faubourg Saint-Marceau. Candide se croit dans le plus horrible village de Westphalie. Ils s'installent dans une auberge et Candide tombe tout de suite malade. De nombreuses personnes proposent de l'aider car elles le pensent riche en voyant un diamant à son doigt.

---

6 Avoir un bel esprit : être intelligent et bien parler.

7 Le libre arbitre : la possibilité pour l'homme de choisir seul ses actes.

8 Chaise à deux places : une petite cabine pour deux personnes et portée par deux hommes.

– J'ai moi aussi été malade à Paris, mais j'étais pauvre et personne ne s'est occupé de moi. Pourtant, j'ai quand même guéri[9].

La maladie de Candide devient grave car on le soigne trop. Un jour, un homme veut lui vendre un billet pour l'autre monde. Candide refuse et Martin doit se fâcher pour le faire partir. Heureusement, Candide guérit quelques jours plus tard. Pendant sa convalescence[10], il joue beaucoup d'argent avec des gens très différents, mais il ne gagne jamais. Cela n'étonne pas Martin.

Un petit abbé[11] du Périgord emmène Candide et Martin au théâtre. Candide pleure devant de très belles scènes.

– Ne pleurez pas ainsi, lui dit un homme pendant l'entracte[12], cette actrice est très mauvaise, l'autre acteur est mauvais et la pièce est encore plus mauvaise.

Candide demande à l'abbé :

– Qui est cet homme qui dit du mal de la pièce ?

– Un homme qui gagne sa vie à dire du mal de toutes les pièces et de tous les livres. Il déteste celui qui réussit.

Candide veut ensuite savoir si on rit toujours à Paris.

– Oui. On se plaint de tout en riant et on rit en faisant des choses horribles.

Une actrice jouant le rôle de la reine Élisabeth plaît à Candide. Il veut la voir et il demande comment les Français traitent les reines d'Angleterre pour la saluer avec politesse.

– En province[13], dit l'abbé, on les emmène au cabaret. À Paris, on les respecte si elles sont belles. Si elle sont laides, on les jette aux ordures quand elles sont mortes.

– Aux ordures ? C'est très malpoli, dit Candide.

---

9 Guérir : retrouver une bonne santé.

10 La convalescence : la période pendant laquelle on se remet d'une maladie.

11 Un abbé : le chef d'un établissement religieux appelé abbaye.

12 Un entracte : la pause entre deux parties d'un spectacle.

13 La province : toutes les régions de France, sauf Paris et sa banlieue.

– C'est un drôle de pays, dit Martin.

L'actrice n'est pas une amie de l'abbé et celui-ci ne peut pas la présenter à Candide. Il lui propose à la place de rencontrer une autre dame, la marquise de Parolignac, qui habite boulevard Saint-Honoré. Quand ils entrent chez elle, douze personnages jouent aux cartes. L'abbé parle à l'oreille de la marquise qui sourit et propose à Candide de se joindre à eux. Il perd ainsi cinquante mille francs au jeu avant le dîner. Le dîner est comme tous ceux de Paris : on se tait, on fait du bruit, on dit des plaisanteries sans intérêt, on parle politique et nouveaux livres et, surtout, on dit du mal des autres.

– Pourquoi certaines tragédies jouées au théâtre sont très difficiles à lire ? demande la marquise.

– Une pièce peut avoir de l'intérêt mais ne pas avoir de valeur, répond un homme savant. Beaucoup d'auteurs ont du succès avec des tragédies, mais très peu sont de bons écrivains.

Candide trouve que l'homme est un autre Pangloss et lui dit :

– Monsieur, pensez-vous que tout est au mieux dans le monde ?

– Pas du tout. Tout va mal chez nous. Personne ne sait ce qu'il fait et ce qu'il doit faire. On se dispute tout le temps, sauf au dîner. C'est la guerre continue entre toutes les personnes.

– Un sage m'a appris que tout cela est parfait, ce sont des ombres au tableau général.

– Il s'est moqué de vous, intervient Martin. Ces ombres sont terribles.

– Les hommes font ces tâches car ils ne peuvent pas faire autrement, dit Candide, ce n'est pas leur faute.

Martin et le savant discutent du sujet, pendant que les autres boivent et que Candide raconte ses aventures à la marquise. Celle-ci entraîne Candide dans sa chambre et lui dit :

– Vous êtes toujours amoureux de Melle Cunégonde de Thunder-ten-tronckh ?

– Oui, madame, répond Candide.

– Vous êtes bien allemand ! Un Français dirait : « En vous voyant, je ne l'aime plus. »

La marquise demande ensuite à Candide de prendre par terre sa jarretière[14] et de la placer autour de sa jambe. Candide fait tout ce que la marquise lui demande. Puis, quand elle le serre contre lui, deux énormes diamants passent des doigts de Candide aux doigts de la marquise.

Quand il retrouve l'abbé, Candide lui dit vouloir vite partir à Venise pour retrouver Cunégonde. Il lui fait part de ses remords d'avoir été infidèle à Cunégonde. Apprenant que Candide veut partir vers Venise, l'abbé se dépêche de trouver une idée pour lui soutirer encore de l'argent. Le lendemain, Candide reçoit une lettre de sa bien-aimée : elle est à Paris, malade, et lui demande de venir la voir. Candide est heureux. Il prend son or et ses diamants et part avec Martin retrouver son amie. Quand il entre dans sa chambre, il veut ouvrir les rideaux du lit, mais une servante l'en empêche.

– Ma chère Cunégonde, dit Candide en pleurant, comment allez-vous ?

– Elle ne peut pas parler, dit la servante.

La servante attrape une main à travers les rideaux. Candide place des diamants dans celle-ci. Il pose aussi un sac d'or sur un fauteuil. À cet instant, l'abbé entre avec un officier de police et plusieurs policiers. Ils veulent mettre Candide et Martin en prison. Martin comprend que la jeune fille dans le lit n'est pas Cunégonde : l'abbé l'a trompé ! Pour régler cette affaire, quitter au plus vite ce pays et retrouver Cunégonde, Candide donne trois diamants à l'officier. L'homme le remercie chaleureusement et propose de l'accompagner chez son frère à Dieppe, en Normandie.

---

14 Une jarretière : une bande élastique tenant les bas autour de la jambe d'une femme.

Là-bas, le frère du policier aide contre trois diamants Candide et Martin à embarquer sur un bateau hollandais qui part pour Portsmouth, en Angleterre. Ce n'est pas le chemin de Venise, mais Candide est heureux de quitter la France et reprendra plus tard la route de Venise.

Sur le bateau, Candide se plaint :

– Ah Pangloss, ah Cunégonde, ah Martin, quel est ce monde ?

– Quelque chose de fou, dit Martin.

– Est-on aussi fou en Angleterre ?

– On est autrement fou. La France et l'Angleterre sont en guerre pour un peu de terre enneigée au Canada. Ils dépensent chacun plus d'argent pour se battre que la valeur du Canada ! Quel pays est le plus fou ?

Quand ils arrivent à Portsmouth, ils voient un gros homme sur le pont d'un vaisseau anglais. Il est à genoux et a les yeux bandés. Quatre soldats tirent trois balles dans sa tête. L'homme est un amiral[15] qui n'a pas tué assez de Français. On le tue pour encourager les autres amiraux à mieux faire.

Candide est choqué. Il ne veut pas rester ici non plus. Le patron hollandais accepte de le conduire rapidement à Venise. Le bateau passe près de la France, puis de Lisbonne, il rejoint la Méditerranée et arrive bientôt à Venise.

– Dieu soit loué ! dit Candide en embrassant Martin. Je vais revoir la belle Cunégonde. Tout va bien, tout va le mieux possible !

---

15 Un amiral : un officier de la marine.

PAN PAN
PAN PAN

CHAPITRE 7

En attendant Cunégonde à Venise

À Venise, Candide cherche partout Cacambo pendant quelques mois, mais il ne le trouve pas. Il ne comprend pas : lui est allé de Surinam à Bordeaux, de Bordeaux à Paris, de Paris à Dieppe, de Dieppe à Portsmouth, de Portsmouth à Venise et Cacambo n'est toujours pas arrivé à Venise pendant ce temps. Il est triste et ne participe même pas au carnaval. Martin lui dit :

– Un valet avec six millions dans les poches ne va pas chercher votre maîtresse ! Ou alors il la garde pour lui quand il la trouve. Oubliez Cacambo et Cunégonde ! Il y a peu de bonheur dans le monde, sauf peut-être en Eldorado, là où personne ne peut aller.

Candide aperçoit alors un jeune théatin[1]. Il est accompagné d'une très jolie jeune fille qui chante et le regarde avec amour.

– Vous voyez, dit Candide, ceux-là sont heureux.

– Je ne pense pas, dit Martin.

– Invitons-les à dîner à notre hôtel et nous verrons bien.

Les deux jeunes gens acceptent l'invitation et la fille regarde Candide avec des larmes aux yeux :

– Monsieur Candide ne reconnaît plus Paquette ?

Il s'agit de la femme de chambre de la baronne de Thunder-ten-tronckh. La jeune femme lui raconte ses tristes aventures :

– Mon malheur commence quand on me chasse du château à cause d'un religieux qui me séduit. Je me retrouve la maîtresse d'un médecin très laid dont la femme me bat tous les jours. Quand

---

1 Un théatin : un religieux de l'ordre des Théatins.

il empoisonne sa femme, on me met en prison. J'en sors grâce à un juge qui devient mon amant puis qui me chasse. Je deviens alors prostituée[2] à Venise. Ma vie est depuis un enfer.

– Mais, dit Candide, vous avez l'air heureuse avec le théatin.

– C'est mon métier qui veut ça. Je dois être de bonne humeur pour plaire aux hommes.

Candide, Martin, Paquette et le religieux passent à table. Candide pose au jeune homme des questions sur sa vie. Frère Giroflée, comme on l'appelle, est très malheureux : c'est à cause de ses parents s'il est un religieux. Tous les soirs, il veut mettre le feu à son couvent et se taper la tête contre les murs.

Martin gagne donc son pari : ces jeunes gens aussi sont malheureux. Candide donne deux mille piastres à Paquette et mille piastres à frère Giroflée :

– Avec cela, ils seront heureux, dit-il.

– Je ne crois pas, dit Martin, ils seront peut-être encore plus malheureux.

Candide, lui, est heureux d'une chose : son mouton rouge et Paquette sont de nouveau près de lui, peut-être retrouvera-t-il Cunégonde. Martin en doute[3].

– Vous êtes dur, lui dit Candide. Regardez ces gondoliers[4], ils chantent tout le temps.

– Ils sont peut-être malheureux chez eux.

Candide parle à Martin du sénateur Pococurante qui habite un palais sur la Brenda. On dit que cet homme n'est jamais malheureux. Martin veut le rencontrer et les deux hommes se rendent à son palais en gondole.

Le sénateur Pococurante a soixante ans et est très riche. Ses jardins et son palais sont très beaux. Deux jolies filles servent

---

2 Une prostituée : une femme qui échange des actes sexuels contre de l'argent.

3 Douter : ne pas croire.

4 Un gondolier : une personne qui conduit une barque plate appelée gondole.

du chocolat à Candide et Martin. Candide les trouve très belles. Le sénateur admet coucher parfois avec elles mais qu'elles commencent à l'ennuyer.

Candide admire des tableaux accrochés dans une longue galerie. Deux sont de Raphaël et sont les plus beaux d'Italie. Mais ils ne plaisent plus au sénateur car ils ne ressemblent pas assez à la vraie nature. Ainsi, le sénateur avoue ne plus regarder ses nombreux tableaux.

En attendant le dîner, les trois hommes écoutent un concerto. Candide apprécie la musique mais Pococurante s'ennuie au bout d'une demi-heure. Il préfère les opéras italiens, mais dit ne plus les écouter.

Après un excellent dîner, ils visitent la bibliothèque du palais. Candide regarde les livres et dit :

– Le grand philosophe allemand Pangloss aimerait ce livre d'Homère.

– Pas moi, dit Pococurante. Les combats, les dieux, la ville de Troie, Hélène... tout cela m'ennuie. Ce livre tombe des mains de tous les savants sincères[5].

– Votre Excellence ne pense pas la même chose de Virgile ? dit Candide.

– Certains livres de son *Énéide* sont excellents. Mais les personnages sont froids. J'aime mieux le Tasse et les contes à dormir debout de l'Arioste.

– Vous aimez lire Horace ?

– On retient facilement ses maximes[6]. Mais son voyage à Brindes ou ses descriptions de disputes et de dîners m'ennuient. Les sots[7] admirent tout chez un auteur connu.

---

5 Sincère : qui dit ce qu'il pense.

6 Une maxime : une règle morale.

7 Un sot : une personne peu intelligente.

Candide n'a pas d'opinion personnelle et est très étonné des paroles de Pococurante. Martin, lui, les trouve plutôt vraies.

– Oh ! voici un Cicéron, dit Candide.

– Je ne le lis jamais. Il doute de tout. Je n'ai besoin de personne pour ne rien apprendre.

– Ah ! s'écrie Martin, voilà quatre-vingt livres d'une académie des sciences. Ils doivent être intéressants.

– Non. Leurs auteurs n'ont rien inventé, il n'y a donc rien d'utile.

– Oh, les belles pièces de théâtre, dit Candide, en italien, en espagnol, en français !

– Oui, dit le sénateur, il y en a trois mille et pas trois douzaines[8] de bonnes.

Martin aperçoit alors des livres en anglais :

– Ces ouvrages doivent plaire à un républicain.

– Oui, dit Pococurante, écrire ce que l'on pense est le privilège[9] de l'homme. Ici, en Italie, on n'écrit pas ce qu'on pense. Mais les Anglais n'utilisent pas bien cette liberté.

– Hélas, dit Candide tout bas à Martin, cet homme ne doit pas aimer nos poètes allemands. Rien ne lui plaît. Quel homme supérieur !

Les trois hommes descendent ensuite dans le jardin dont Candide loue la beauté.

– Il est de très mauvais goût, dit Pococurante, je vais en faire planter un demain beaucoup plus noble.

Candide et Martin prennent alors congé[10] du sénateur et discutent :

– Voilà le plus heureux des hommes, dit Candide à Martin. Il est au-dessus de tout ce qu'il a.

---

8 Une douzaine : un ensemble de douze unités.
9 Un privilège : un droit réservé à quelques personnes.
10 Prendre congé : quitter après avoir dit au revoir.

– Il déteste plutôt ce qu'il a, répond Martin.

– Mais il y a du plaisir à tout critiquer, à voir des défauts où les autres voient des beautés.

– Vous voulez dire qu'il y a du plaisir à ne pas avoir de plaisir ?

Candide se considère alors comme le seul homme heureux car il va bientôt revoir Cunégonde. Mais les semaines passent et Cacambo ne revient pas.

Un soir, Candide et Martin vont se mettre à table dans leur hôtellerie quand un homme aborde Candide et lui dit :

– Soyez prêt à partir !

C'est Cacambo ! Candide est fou de joie et embrasse son ami.

– Où est Cunégonde ? Je veux la voir.

– Elle n'est pas là, mais à Constantinople.

– Allons-y !

– Nous partirons après le dîner. Je suis l'esclave d'un maître et il m'attend. Je ne peux pas vous en dire plus. Dînez et tenez-vous prêt.

Candide est partagé entre la joie et la douleur. Il se met à table avec Martin et six étrangers venus voir le carnaval à Venise. Vers la fin du repas, Cacambo sert à boire à son nouveau maître puis lui dit :

– Le vaisseau est prêt, Votre Majesté part quand elle le veut.

Puis Cacambo sort. Les autres invités se regardent étonnés. Puis, un autre domestique s'approche de son maître et lui dit :

– Sire, la barque est prête.

Puis, il sort. Tous les convives[11] se regardent étonnés. Un troisième valet s'approche d'un troisième étranger :

– Sire, Votre Majesté ne doit pas rester plus longtemps, je vais tout préparer.

Et il disparaît à son tour. Candide et Martin pensent qu'il s'agit

11 Un convive : une personne qui participe à un repas avec d'autres personnes.

d'un spectacle du carnaval. Un quatrième et un cinquième valet font de même avec le quatrième et le cinquième étranger. Puis, un sixième valet dit à l'étranger assis près de Candide :

– Sire, vous et moi pouvons être arrêtés cette nuit, je fuis, adieu.

Et il sort. Candide, Martin et les six étrangers restent seuls et silencieux. Puis Candide dit :

– Messieurs, voilà une drôle d'histoire. Pourquoi êtes-vous tous rois ?

Le maître de Cacambo parle le premier :

– Je m'appelle Achmet III. J'étais sultan, mais mon neveu a pris ma place et je finis ma vie dans le vieux sérail. Mon neveu me permet de voyager de temps en temps. Je suis à Venise pour le carnaval.

– Je m'appelle Ivan, dit un jeune homme assis près d'Achmet. J'étais empereur de toutes les Russies. Mais j'ai passé ma vie en prison. Je voyage parfois avec ceux qui me gardent. Je suis à Venise pour le carnaval.

– Je suis Charles-Édouard, roi d'Angleterre, dit le troisième. Mais on m'a jeté en prison. Je vais à Rome voir mon père et mon grand-père. Je suis à Venise pour le carnaval.

– Je suis roi des Polaques, dit le quatrième. La guerre m'a enlevé mes États héréditaires[12]. Comme vous, la Providence me donne cependant une longue vie. Je suis à Venise pour le carnaval.

– Je suis aussi roi des Polaques, dit le cinquième, j'ai perdu deux fois mon royaume. Aujourd'hui, je fais le bien dans un autre État, donné par la Providence. Je suis à Venise pour le carnaval.

– Messieurs, dit le sixième, je suis Théodore, roi élu en Corse. Je ne suis pas un grand seigneur comme vous. Mais j'étais puissant et je ne suis plus rien. Je suis à Venise pour le carnaval.

Tous donnent vingt sequins[13] au roi Théodore pour s'acheter des habits. Candide lui donne un diamant de deux mille sequins. Les rois se demandent qui est cet homme simple qui donne tout cet argent.

Les convives sortent de l'hôtellerie quand quatre altesses y entrent. Elles aussi ont perdu leur royaume et sont à Venise pour le carnaval. Mais Candide ne les remarque pas. Il pense trop à aller retrouver sa chère Cunégonde à Constantinople.

---

12 Héréditaire : reçu de ses parents ou ancêtres.

13 Un sequin : une monnaie d'or à Venise.

CHAPITRE 8

Comment Candide finit par cultiver son jardin

Candide et Martin partent retrouver Cacambo sur le bateau d'un Turc qui reconduit le sultan Achmet à Constantinople.

– Nous avons dîné avec six rois détrônés[1], dit Candide. Il y a donc des princes malheureux. Moi, j'ai perdu cent moutons et j'ai aussi des malheurs mais je vais retrouver Cunégonde. Pangloss a raison : tout est bien.

– Je le souhaite, dit Martin.

– Mais dîner avec six rois détrônés à Venise, c'est une étrange histoire.

– Toutes nos aventures sont étranges et les rois sont souvent détrônés.

Une fois sur le bateau, Candide saute au cou de son ami Cacambo.

– Que devient Cunégonde ? demande Candide. Est-elle toujours aussi belle ? A-t-elle un palais à Constantinople ?

– Mon cher maître, Cunégonde est l'esclave d'un ancien souverain, Ragotski. Elle lave des écuelles[2] sur les bords de la Propontide. Elle est devenue très laide.

– Belle ou laide, je dois l'aimer ! Mais où sont tes cinq ou six millions ?

---

1 Détrôner : perdre son trône, c'est-à-dire perdre son pouvoir.

2 Une écuelle : une assiette sans rebord.

– J'ai donné deux millions au gouverneur de Buenos-Ayres, le *señor* Don Fernando d'Ibaraa, y Figueroa, y Mascarenez, y Lampourdos, y Souza, pour reprendre Melle Cunégonde. Et un pirate a pris le reste pour nous amener à Constantinople. Cunégonde et la vieille sont esclaves d'un prince et moi je suis esclave d'un sultan détrôné.

– Quelle tristesse ! Mais j'ai encore quelques diamants. Je vais rendre facilement sa liberté à Cunégonde. Mais elle est laide maintenant, c'est dommage.

Candide se tourne alors vers Martin :

– Qui est le plus à plaindre d'après vous ? le sultan Achmet, l'empereur Ivan, le roi Charles-Édouard ou moi ?

– Je ne sais pas. Il faut être dans vos cœurs pour le savoir.

– Pangloss, lui, le sait.

– Je ne sais pas si Pangloss peut connaître la douleur des hommes. Par contre, je sais une chose : il y a sur terre des hommes cent fois plus malheureux que le roi Charles-Édouard, l'empereur Ivan ou le sultan Achmet.

– Cela se peut, dit Candide.

Le bateau arrive peu de jours plus tard sur le canal de la mer Noire. Candide rachète Cacambo très cher à l'ancien sultan. Puis, ils repartent dans une galère[3] pour aller retrouver Cunégonde sur le rivage de la Propontide.

Deux forçats[4] rament mal et reçoivent de nombreux coups du capitaine de la galère. Candide les regarde avec attention car ils ressemblent à Pangloss et au frère de Cunégonde. Il le dit tout haut à Cacambo. En entendant leur nom, les deux hommes arrêtent de ramer. Le patron les frappe violemment et Candide crie :

– Arrêtez !

---

3 Une galère : un grand bateau à voiles et à rames.

4 Un forçat : un homme condamné aux galères, c'est-à-dire qu'il rame dans une galère.

– Quoi ! C'est Candide ! dit l'un des hommes.

– Quoi ! C'est Candide ! dit l'autre.

– Je suis en train de rêver ? dit Candide. Est-ce le baron que j'ai tué ? Est-ce maître Pangloss que j'ai vu pendre ?

– C'est nous, disent les deux hommes.

Candide s'adresse alors au patron du bateau :

– Monsieur, combien d'argent voulez-vous pour M. de Thunder-ten-tronckh, un des premiers barons de l'Empire et pour M. Pangloss, le plus grand philosophe d'Allemagne ?

– Pour un baron et un philosophe, c'est cinquante mille sequins.

Candide leur présente Cacambo et Martin et ils s'embrassent de nombreuses fois en parlant tous en même temps.

Le bateau arrive dans un port. Candide vend un diamant à

un Juif puis achète Pangloss et le baron au capitaine de la galère. Candide vend d'autres diamants à d'autres Juifs et tous repartent dans une autre galère pour aller délivrer Cunégonde.

Candide demande pardon au baron pour son coup d'épée.

– N'en parlons plus. Mais voilà mon histoire : après ma guérison de votre coup d'épée, des Espagnols me mettent en prison. Puis je deviens aumônier[5] à Constantinople auprès de M. l'ambassadeur de France. Un jour, je me baigne nu avec un jeune musulman, ce qui est interdit, on me donne cent coups de bâton et on me condamne aux galères.

Puis Candide demande à Pangloss son histoire :

– Revenons au jour de ma pendaison. Il pleut si fort que la corde glisse et que je peux encore respirer. Un chirurgien achète mon corps. Il veut me disséquer[6] chez lui, mais je pousse un grand cri quand il commence à m'ouvrir. Il s'enfuit et tombe dans l'escalier. Sa femme arrive et, quand elle me voit, elle s'enfuit aussi ! Un peu plus tard, j'entends la femme dire à son mari : « Pourquoi veux-tu disséquer un hérétique[7] ? Le diable est toujours dans son corps. Je vais chercher un prêtre pour l'exorciser[8].» Je leur demande d'avoir pitié et ils recousent ma peau. Plus tard, je deviens le valet d'un chevalier de Malte puis d'un marchand de Venise qui m'amène à Constantinople. Un jour, dans une mosquée, je rencontre un iman et une très jolie jeune fille. Elle a un bouquet de fleurs sur sa poitrine découverte. Elle le laisse tomber, je le ramasse et lui donne. L'iman n'aime pas mon comportement et, comme je suis chrétien, il appelle à l'aide. On me donne cent coups sur les pieds et on m'envoie aux galères.

---

5 Un aumônier : un religieux travaillant dans une école, ou pour une personnalité.

6 Disséquer : couper un corps pour l'étudier.

7 Un hérétique : une personne qui soutient une idée contraire à l'enseignement d'une religion.

8 Exorcicer : faire sortir le diable du corps d'une personne.

J'y retrouve monsieur le baron. Et puis, les événements de l'univers vous conduisent jusqu'à nous.

– Pensez-vous toujours que tout va pour le mieux du monde ? demande Candide.

– Je reste sur mes idées car je suis philosophe, je ne peux pas me dédire[9]. Leibniz ne peut pas avoir tort, l'harmonie préétablie[10] est la plus belle chose du monde.

Candide, le baron, Martin et Cacambo discutent ensuite *des effets et des causes*, du mal moral et du mal physique, et d'autres sujets. Puis, la galère aborde le rivage de la Propontide. Ils rencontrent aussitôt Cunégonde et la vieille. Elles sont en train de placer des serviettes sur des fils pour les faire sécher.

Candide voit sa belle Cunégonde, recule de trois pas puis avance par politesse. Elle l'embrasse ainsi que son frère. Puis, Candide achète les deux femmes.

Cunégonde propose à Candide de s'installer dans une ferme du voisinage. Ne se sachant pas laide car personne ne l'a prévenue, Cunégonde rappelle à Candide sa promesse de l'épouser. Candide n'ose pas refuser mais le baron ne veut toujours pas de ce mariage. Cunégonde se jette aux pieds de son frère mais celui-ci ne change pas d'avis.

– Maître fou, lui dit Candide, j'ai fait beaucoup pour toi, ta sœur est laide et je veux bien l'épouser, et toi tu ne veux pas ? Si j'écoutais ma colère, je pourrais te tuer à nouveau.

– Tu peux me tuer, mais tu n'épouseras pas ma sœur de mon vivant. Ma sœur épousera un noble !

Candide n'a en réalité aucune envie d'épouser Cunégonde. Mais il ne veut pas manquer à sa parole[11] et Cunégonde insiste plusieurs fois. Pangloss, Martin et Cacambo donnent leur avis :

---

9 Se dédire : dire le contraire de ce qu'on a dit avant.

10 Préétabli : qui existe avant tout autre chose.

11 Manquer à sa parole : ne pas faire ce qu'on a dit.

pour Pangloss, le baron n'a pas de droit sur sa sœur et Cunégonde peut épouser Candide. Pour Martin, Candide doit jeter le baron dans la mer. Pour Cacambo, il faut rendre le baron au capitaine de la galère et le renvoyer chez les jésuites. Tout le monde est d'accord avec Cacambo (même la vieille). Ils sont heureux d'attraper un jésuite et de punir l'orgueil[12] d'un baron allemand.

La vie de Candide ne devient pas agréable pour autant. Il n'a plus d'argent et sa femme est chaque jour plus laide et désagréable.

12 L'orgueil : le sentiment d'être supérieur aux autres.

La vieille ne peut plus bouger et est toujours de mauvaise humeur. Cacambo se plaint de trop travailler à la ferme. Pangloss est désespéré car il n'est pas professeur dans une université d'Allemagne. Martin, lui, accepte cette vie car il pense qu'on est mal partout. Candide, Martin et Pangloss parlent cependant encore parfois ensemble de métaphysique[13] et de morale. Un jour, la vieille demande :

– Qu'y-a-t'il de pire[14] : être violée, être fouettée et pendue, être disséquée, ramer en galères, ou bien rester ici à ne rien faire ?

– C'est une grande question, répond Candide.

Chacun réfléchit sur le sujet. Pour Martin, l'homme est né pour vivre dans l'inquiétude ou dans l'ennui. Candide ne sait pas. Pangloss dit que tout va pour le mieux (il ne le pense plus mais ne veut toujours pas se dédire).

Un jour, Paquette et Giroflée arrivent dans leur ferme. Ils n'ont plus rien de l'argent de Candide et sont très malheureux. Ils se sont quittés puis remis ensemble, disputés à nouveau, ont connu la prison, se sont enfuis, Giroflée est devenu musulman et Paquette est toujours prostituée.

Cela conduit Candide et les autres à philosopher encore plus. Ils vont consulter un religieux musulman, connu comme le meilleur philosophe de la Turquie.

– Maître, lui demande Pangloss, pourquoi l'homme, cet étrange animal, existe ?

– Pourquoi te demandes-tu cela ? Est-ce ton problème ?

– Mais, intervient Candide, il y a beaucoup de mal sur terre.

– Ce n'est pas important s'il y a du mal ou du bien.

– Que faut-il faire alors ? dit Pangloss.

---

13 La métaphysique : partie de la philosophie qui recherche les causes et le sens des choses.

14 Pire : plus mauvais que mauvais.

– Te taire.

Pangloss veut parler avec lui *des effets et des causes*, et du meilleur des mondes possibles. Mais le derviche leur ferme sa porte au nez.

Pendant ce temps, trois personnages importants sont tués à Constantinople. Pangloss, sur le chemin de retour à la ferme, demande leur nom à un vieillard assis devant sa porte. Mais l'homme ne sait rien de toute cette histoire.

– Je ne veux pas savoir ce qui se passe à Constantinople. Je vends seulement là-bas les fruits de mon jardin.

L'homme les fait entrer chez lui. Ses deux filles et ses deux fils leur apportent des oranges, des citrons, des ananas, des pistaches, du café et des boissons de leur fabrication. Puis les deux filles parfument les barbes de Candide, Pangloss et Martin.

– Vous devez avoir une grande et magnifique terre, dit Candide.

– Elle est toute petite, dit le Turc. Je la cultive avec mes enfants. Ce travail nous protège des trois grands maux[15] : l'ennui, le vice[16] et le besoin.

Quand il retourne vers leur ferme, Candide dit :

– Ce bon vieillard est plus heureux que les six rois de Venise.

– C'est dangereux d'être trop grand, dit Pangloss. On tue les rois ou bien ils se tuent entre eux. Vous savez comment sont morts Crésus, Syracuse, Pyrrhus, Persée, Domitien, Richard III, Charles Ier, les trois Henri de France ? Vous savez...

– Je sais aussi, dit Candide, qu'il faut cultiver notre jardin.

– Vous avez raison, dit Pangloss. L'homme est dans le jardin d'Éden[17] pour travailler, il n'est pas né pour le repos.

---

15 Maux : pluriel de *mal*.

16 Le vice : action considérée comme mauvaise par la morale.

17 Le jardin d'Éden : le jardin de l'histoire d'Adam et Ève dans la Genèse.

– Travaillons sans penser, dit Martin, c'est le seul moyen de supporter la vie.

Chacun s'occupe alors avec ce qu'il sait faire et leur petite terre rapporte beaucoup : Cunégonde devient une excellente pâtissière, Paquette fait de la broderie, la vieille s'occupe du linge, Giroflée devient un très bon menuisier.

Parfois, Pangloss dit encore à Candide :

– Tous les événements s'enchaînent[18] dans le meilleur des mondes. On vous chasse d'un beau château pour l'amour de Melle Cunégonde, on vous met à l'Inquisition, vous courez l'Amérique à pied, vous donnez un coup d'épée au baron et vous perdez tous vos moutons d'Eldorado : c'est grâce à tout cela que vous mangez ici des cédrats[19] et des pistaches.

– Cela est bien dit, répond Candide, mais il faut cultiver notre jardin.

---

18 S'enchaîner : se passer les uns après les autres d'une façon naturelle.
19 Un cédrat : fruit du cédratier, proche du citron.

Activités

CHAPITRE 1

1 piste 1 → **Écoutez la première partie du chapitre. Choisissez la bonne réponse.**

1. Candide est un jeune garçon qui :
- ☐ **a.** est le fils du baron de Thunder-ten-tronckh.
- ☐ **b.** tient pour vraies les leçons du philosophe Pangloss.
- ☐ **c.** rêve de quitter le château dans lequel il habite.

2. Pangloss est un philosophe qui pense que :
- ☐ **a.** leur monde est le meilleur des mondes possibles.
- ☐ **b.** leur monde pourrait être meilleur.
- ☐ **c.** d'autres mondes sont meilleurs que le leur.

3. Pour Candide, entendre les leçons de Pangloss est :
- ☐ **a.** inutile.
- ☐ **b.** ennuyeux.
- ☐ **c.** l'un des quatre plus grands bonheurs.

4. Les deux Bulgares invitent Candide à dîner car :
- ☐ **a.** ils le trouvent sympathique.
- ☐ **b.** ils connaissent le baron de Thunder-ten-tronckh.
- ☐ **c.** ils veulent faire de lui un militaire dans l'armée de leur roi.

2 **Avez-vous bien compris ? Répondez aux questions.**

1. Pourquoi Candide est-il chassé du château ?

....

2. D'après Pangloss, pourquoi l'homme a-t-il des lunettes ?

....

3. Pourquoi les militaires bulgares mettent-ils Candide en prison ?

....

4. Candide participe-t-il à la bataille entre Bulgares et Abares ?

....

3 Complétez la grille avec des mots du chapitre et retrouvez le mot qui se cache verticalement.

1. Pour Pangloss, chaque effet en a une.
2. Elle comporte sept jours.
3. Un autre verbe pour « conduire » un bateau.
4. Les médecins la soignent.
5. Candide et Pangloss le disent de leur monde.
6. On dit parfois qu'il conduit la vie des hommes.
7. Quand elle saigne, il vaut mieux la soigner.

1
2
3
4
5
6
7

Mot mystère :

Cet adjectif caractérise une personne naïve : ....

4 Relevez dans le texte les éléments qui montrent que Candide et Pangloss pensent « que tout est au mieux » ? Que pensez-vous de leurs arguments ?

....

....

....

....

CHAPITRE 2

1 piste 2 → **Écoutez le chapitre. Vrai ou faux ? Cochez la bonne réponse. Justifiez lorsque vous pensez que c'est faux.**

	Vrai	Faux
1. On arrête Candide car il a volé de la nourriture.	☐	☐
2. Candide est très surpris de revoir Cunégonde.	☐	☐
3. Cunégonde a assisté à la pendaison de Pangloss.	☐	☐
4. Don Issachar et l'inquisiteur arrivent dans la maison le même jour.	☐	☐
5. Le général nomme Candide capitaine car il fait très bien des exercices militaires.	☐	☐
6. La vieille pense que Cunégonde est plus à plaindre qu'elle.	☐	☐

Justification : ....

....

....

2 piste 2 → **Réécoutez le chapitre. Qui dit quoi ? Associez.**

1. Candide
2. Cunégonde
3. La vieille

a. Racontez-moi d'abord votre histoire depuis notre baiser.
b. J'espère voir la marque.
c. Mon malheur est plus grand que le vôtre.
d. Pangloss pourrait nous donner un bon conseil.
e. Qui m'a volé mon argent et mes bijoux ?
f. On change quand on est amoureux.
g. Et si je vous montre ma fesse...
h. Comment pouvez-vous tuer deux hommes en deux minutes ?
i. Courage mon fils, suivez-moi !

3 Complétez l'histoire de Cunégonde avec les mots ci-dessous :

sa – prisonnière – beau château – belle – appartiens – tard – tue – je dois – couteau – ventre – lit – son – me vend – ancien

Je suis dans mon .... quand les Bulgares arrivent dans notre .... Un soldat me donne un coup de .... dans le .... Un capitaine bulgare entre et le .... Je deviens sa .... faire .... lessive et .... linge. Trois mois plus ...., quand il n'a plus d'argent, il .... à un Juif. J'arrive dans cette maison. Elle est plus .... que mon .... château. Depuis, j' .... à Issachar et à l'inquisiteur.

4 Trouvez l'intrus. Soulignez-le.

1. pommade – blessures – soins – déjeuner

2. inquisiteur – condamnation – campagne – jugement

3. escalier – nuit – chambre – maison

4. cœur – bataille – militaire – général

5. argent – vente – porte – achat

6. tremblement – jour – lundi – semaine

5 À votre avis, Voltaire a-t-il une bonne ou une mauvaise opinion de l'Inquisition ? Justifiez votre réponse en prenant des exemples dans le texte.

....

....

....

....

....

....

....

CHAPITRE 3

1 Lisez le chapitre. Avez-vous bien compris ? Répondez aux questions.

1. Pourquoi la vieille n'a-t-elle pas épousé son prince ?

   ....

2. Pourquoi la vieille ne raconte pas ce qui arrive aux femmes sur le bateau corsaire ?

   ....

3. Comment la vieille perd-elle une fesse ?

   ....

4. Pourquoi le gouverneur de Buenos-Ayres envoie Candide retrouver ses soldats ?

   ....

5. Quel conseil donne la vieille à Cunégonde ?

   ....

6. Pourquoi Candide doit-il fuir ?

   ....

2 piste 3 → **Écoutez le chapitre. Vrai ou faux ? Cochez la bonne réponse. Justifiez lorsque vous pensez que c'est faux.**

	Vrai	Faux
1. La vieille est née dans une famille riche.	☐	☐
2. Arrivé à Maroc, le corsaire vend la vieille à son ennemi.	☐	☐
3. L'Italien rencontré à Maroc tient sa promesse faite à la vieille.	☐	☐
4. Le dey et presque tout son sérail sont morts de la peste.	☐	☐
5. La vieille a essayé plusieurs fois de se tuer.	☐	☐

	Vrai	Faux
6. Si Pangloss était là, Candide accepterait tous ses propos sans rien dire.	☐	☐
7. La vieille prévient Candide du danger s'il reste à Buenos-Ayres.	☐	☐

Justification : ....

....

....

3 Complétez la grille avec des mots du chapitre et retrouvez le mot qui se cache verticalement.

1. C'est l'union officielle de deux personnes.
2. L'intervention d'un chirurgien pour soigner un malade.
3. L'apparence générale de quelqu'un.
4. Les poils situés au-dessus de la bouche.
5. Une personne qui veut du mal à une autre personne.
6. Une personne qui joue d'un instrument de musique.
7. Chaque personne qui compose un groupe.
8. Une personne voyageant sur un bateau ou dans une voiture.

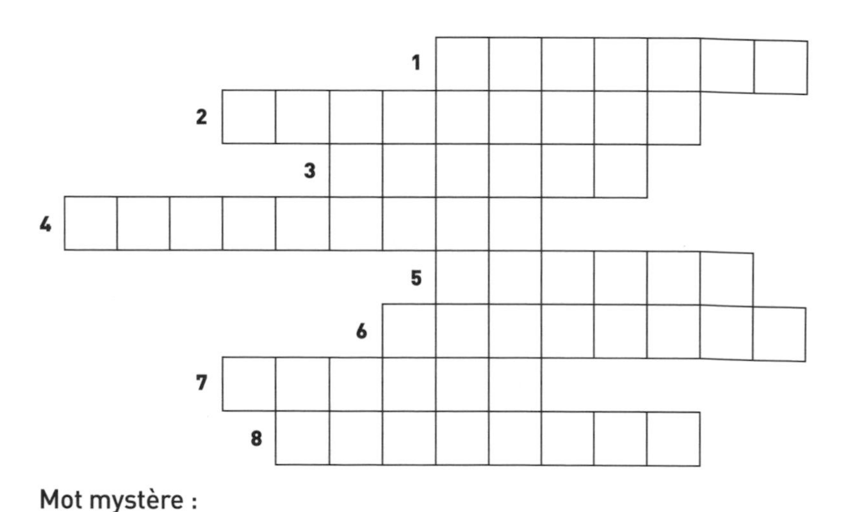

Mot mystère :
Après Cunégonde, la vieille raconte les siens : ....

4 **Relevez les marques d'ironie employées par Voltaire et expliquez-les. À votre avis, pourquoi l'auteur utilise-t-il cette figure de style ?**

....

....

....

CHAPITRE 4

1 piste 4 → **Écoutez le chapitre. Choisissez la bonne réponse.**

1. D'après Cacambo, les jésuites seront heureux de rencontrer Candide car :
- ☐ **a.** il est très croyant.
- ☐ **b.** il sait comment se battre.
- ☐ **c.** ils ont entendu parler de lui.

2. Le royaume des jésuites est :
- ☐ **a.** gardé par des soldats.
- ☐ **b.** un lieu d'égalité entre les hommes.
- ☐ **c.** interdit d'accès pour Candide et son valet.

3. Le baron et Candide sont contents de se voir jusqu'à ce que :
- ☐ **a.** Candide refuse de déjeuner avec lui.
- ☐ **b.** Le baron parte se battre contre les Espagnols.
- ☐ **c.** Candide annonce son intention d'épouser Cunégonde.

4. Les Oreillons veulent tuer Candide et Cacambo car :
- ☐ **a.** ils sont jésuites.
- ☐ **b.** Candide a tué les deux singes.
- ☐ **c.** ils n'ont rien mangé depuis deux semaines.

5. Candide pense que les enfants sont les fils du roi car :
- ☐ **a.** ils jouent avec des pierres précieuses.
- ☐ **b.** ils sont richement habillés.
- ☐ **c.** de nombreux valets les accompagnent.

2 Lisez le chapitre. Remettez dans l'ordre de l'histoire les phrases suivantes.

1. Candide enfonce son épée dans le ventre du baron.
2. Les Oreillons font bouillir Cacambo et Candide dans une marmite.
3. Cacambo demande aux soldats jésuites de parler au commandant.
4. Un homme appelle les enfants qui jouent à rentrer dans l'école.
5. La rivière emporte les deux hommes sous des rochers.
6. Candide retrouve le baron de Thunder-ten-tronckh.
7. Deux singes poursuivent deux jeunes filles.
8. Cacambo et Candide fuient à cheval les membres de la justice espagnole.

Ordre des phrases :

....

3 Mettez les lettres dans l'ordre et retrouvez les mots.

1. A I B R R R È E

C'est un objet empêchant le passage sur une route.

→ une ....

2. N O I É T M O

On la ressent quand on a peur ou qu'on est heureux.

→ une ....

3. E R R N T E E R

C'est l'action de mettre quelqu'un ou quelque chose dans la terre.

→ ....

4. D I R O P S E S É

C'est la perte de tout espoir.

→ le ....

5. V E L I R E

C'est la sortie du sommeil.

→ le ....

6. R R R O I T T E E

C'est la terre occupée par un groupe d'hommes ou d'animaux.

→ un ....

7. Y A S P A G E

C'est la vue d'ensemble sur une région.

le ....

4 Cacambo dit aux Oreillons que Candide est leur ami car il est « l'ennemi de leur ennemi ». Que pensez-vous de cette idée ?

....

....

....

....

....

....

5 Pangloss a toujours dit à Candide que les hommes sont égaux. Qu'en pensez-vous ? Trouvez dans les chapitres 1 à 4 des exemples qui prouvent le contraire.

....

....

....

....

....

....

....

CHAPITRE 5

1 Lisez le chapitre. Avez-vous bien compris ? Répondez aux questions.

1. Pourquoi les Européens ne prennent-ils pas les richesses d'Eldorado ?

   ....

2. Pourquoi Candide veut-il partir d'Eldorado ?

   ....

3. Comment Candide et Cacambo sont-ils devenus riches en quittant Eldorado ?

   ....

4. Pourquoi le propriétaire du bateau augmente-t-il son prix ?

   ....

5. Candide pense-t-il toujours que tout va bien partout dans le monde ?

   ....

2 piste 5 → **Écoutez le chapitre. Dans quel ordre entendez-vous les adjectifs ci-dessous. Pour chacun, entourez le mot qu'il qualifie.**

a. merveilleuse → nourriture / vie

b. favorite → Cunégonde / maîtresse

c. pauvre → savant / village

d. malheureux → moutons / gens

e. extraordinaire → repas / déjeuner

f. drôles → questions / situations

g. étranges → voyages / cadeaux

1	2	3	4	5	6	7
..e....	....	....	....	....	....	....

3 Mettez les mots dans l'ordre pour former des phrases correctes.

1. à des / Les / du / ressemblent / d'Europe. / village / maisons / palais

....

2. rochers / des précipices / entourent / De hauts / et / Eldorado.

....

3. au-dessus / de passer / permet / Une / des montagnes. / machine

....

4. poches. / de diamants / leurs / ou six / Ils / cinq / millions / dans / ont

....

5. tout le / et / écoute / les histoires / le dîner / Candide / offre / de / monde.

....

6. Il / par terre. / jambe / l'homme / bras / une / et un / à / manque / allongé

....

4 Candide pense « qu'il faut vraiment voyager ». Pourquoi dit-il cela ? Et vous, que pensez-vous de cette idée ?

....

....

....

5 Eldorado semble être le pays le plus heureux du monde. Pourtant, Candide le quitte. Pourquoi ? À sa place, que feriez-vous ? Expliquez votre point de vue.

....

....

....

CHAPITRE 6

1 piste 6 → **Lisez le chapitre. Avez-vous bien compris ? Choisissez la bonne réponse.**

1. Candide est moins malheureux que Martin car :
- ☐ **a.** il a connu Pangloss.
- ☐ **b.** il espère revoir Cunégonde.
- ☐ **c.** il a une belle chambre sur le bateau.

2. Candide retrouve un de ses moutons :
- ☐ **a.** qui s'était caché dans le bateau.
- ☐ **b.** qui a nagé jusqu'à lui après le naufrage du bateau hollandais.
- ☐ **c.** qu'il avait oublié dans le port.

3. Candide veut aller à Paris car :
- ☐ **a.** tous les voyageurs y vont.
- ☐ **b.** Cunégonde l'y attend.
- ☐ **c.** Martin y habite.

4. Candide :
- ☐ **a.** donne ses bagues en diamant à la marquise.
- ☐ **b.** vend ses bagues à la marquise.
- ☐ **c.** se fait voler ses bagues par la marquise.

5. Candide est heureux d'arriver à Venise car :
- ☐ **a.** il adore l'Italie.
- ☐ **b.** il pense y revoir Cunégonde.
- ☐ **c.** il déteste voyager en mer.

2 **Avez-vous bien compris ? Répondez aux questions.**

1. D'où vient le mouton qui nage vers le bateau de Candide ?

....

2. Pourquoi Candide, malade, reçoit-il l'aide de nombreuses personnes ?

....

3. Pourquoi Martin pense que les Français et les Anglais sont fous ?

....

3 Trouvez qui se cache derrière ces affirmations.

1. Ils embarquent sur un bateau en direction de la France.
→ ....
2. Il nage vers le bateau dans lequel se trouve Candide. → ....
3. Son bateau est coulé dans la bataille. → ....
4. Il emmène Candide et Martin au théâtre. → ....
5. Il pense que tout va mal dans le monde. → ....
6. Elle entraîne Candide dans sa chambre. → ....

4 Associez les réponses aux questions.

1. Dieu punit votre homme, le diable noie les autres.
2. Un homme qui déteste celui qui réussit.
3. Quelque chose de fou.
4. Oui, ces habitants sont fous, bêtes ou ont un bel esprit.
5. Pas du tout, tout va mal.

a. Tout est-il au mieux dans le monde ?
b. Connaissez-vous la France ?
c. Qui est cet homme qui dit du mal de la pièce ?
d. Pourquoi l'équipage meurt-il aussi ?
e. Quel est ce monde ?

5 Candide va-t-il revoir Cunégonde à Venise ? Imaginez le voyage et les aventures de Cacambo et de Cunégonde entre Buenos-Ayres et Venise.

....

....

....

....

....

CHAPITRE 7

1 Lisez le chapitre. Avez-vous bien compris ? Répondez aux questions.

1. Pourquoi Candide invite-t-il les deux jeunes gens à dîner ?

....

2. Que pense Martin de l'argent que donne Candide aux jeunes gens ?

....

3. Quelle est l'attitude du sénateur vis-à-vis de ses biens ?

....

4. Quel est le point commun des personnes qui dînent avec Candide et Martin ?

....

5. Que sont-ils tous venus faire à Venise ?

....

6. Pourquoi Candide se considère-t-il comme le plus heureux des hommes ?

....

2 piste 7 → **Écoutez le chapitre et entourez la bonne réponse.**

1. Candide et Martin font un *concours / pari* pour savoir si les jeunes gens sont *heureux / tristes*.
2. Frère Giroflée est devenu *religieux / sénateur* à cause de ses *enfants / parents*.
3. Les gondoliers *chantent / dansent* mais sont peut-être malheureux *à leur travail / chez eux*.
4. Le sénateur a des *tableaux / statues* de Raphaël mais il les trouve trop éloignés de la *vie / nature*.

5. Candide est *triste / heureux* de revoir Cacambo mais *heureux / triste* car Cunégonde n'est pas là.

6. Les rois ont perdu leur *courage / royaume* et sont à Venise pour le *carnaval / festival*.

3 Associez les adjectifs à chaque personne de l'histoire. N'oubliez pas de les accorder.

riche – joli – étonné – jeune – supérieur – malheureux – vieux – heureux – simple

1. Candide est : ....

2. Paquette est : ....

3. Le sénateur est : ....

4 Remettez dans l'ordre de l'histoire les phrases suivantes.

1. Tous les convives donnent de l'argent au roi Théodore.
2. Candide embrasse Cacambo, heureux de le retrouver.
3. Martin et Candide visitent la bibliothèque du sénateur.
4. Candide cherche partout Cunégonde à Venise.
5. Martin et Candide se rendent chez Prococurante.
6. Paquette et Giroflée sont invités à dîner par Candide.

Ordre des phrases :

....

5 Comment trouvez-vous l'attitude du sénateur vis-à-vis de ses biens ? Êtes-vous parfois ainsi avec ce que vous avez ? Connaissez-vous de telles personnes ?

....

....

....

....

CHAPITRE 8

1 piste 8 → **Écoutez le chapitre. Vrai ou faux ? Cochez la bonne réponse. Justifiez lorsque vous pensez que c'est faux.**

	Vrai	Faux
1. Cacambo s'est fait voler tout son argent.	☐	☐
2. Candide rachète la liberté de tous ses amis.	☐	☐
3. Cunégonde est toujours jeune et jolie.	☐	☐
4. Le baron refuse toujours le mariage de Candide et Cunégonde.	☐	☐
5. Pour être heureux, Candide pense qu'il faut ne rien faire de la journée.	☐	☐

Justification : ....

....

2 **Complétez les titres des chapitres avec les mots suivants et classez-les dans l'ordre de l'histoire.**

attendant – Westphalie – cultiver – retrouve – arrive – quitte – malheurs – perd – deux singes

a. Candide écoute les .... de la vieille et perd Cunégonde !

b. Ce qui .... en France à Candide et Martin.

c. Candide .... Pangloss, ... Cunégonde et part au Paraguay.

d. Comment Candide finit par .... son jardin.

e. De .... jusqu'au Portugal.

f. Ce que Candide fait en Eldorado et pourquoi il le ....

g. En .... Cunégonde à Venise.

h. Pourquoi Candide tue son ancien maître et ....

1	2	3	4	5	6	7	8
e	....	....	....	....	....	....	....

3 Complétez la grille avec des mots du chapitre et retrouvez le mot qui se cache verticalement.

1. Une personne privée de sa liberté.
2. Candide a gagné celui de Cunégonde depuis longtemps.
3. Aller en arrière.
4. C'est la possibilité d'agir sans contraintes.
5. Pour Candide, cela permet de supporter la vie.
6. On s'essuie le corps avec.
7. Le lieu de culte de l'islam.
8. Donner une odeur.

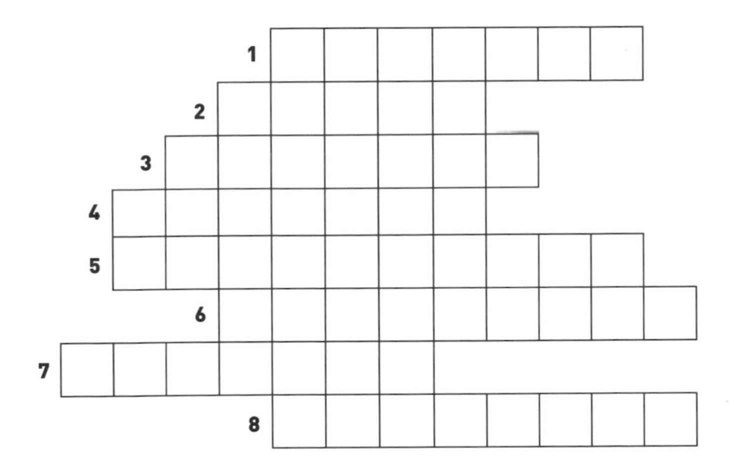

Mot mystère :

C'est le mot de la fin, il faut .... son jardin !

4 Lisez le dernier dialogue du texte entre Pangloss et Candide. Répondez aux questions.

1. Que pensez-vous de l'affirmation du philosophe: « *C'est grâce à tout cela que vous mangez ici des cédrats* » ?

....

2. Que vous inspire la réponse de Candide ?

....

ACTIVITÉS DE SYNTHÈSE

1 Candide a vécu de très nombreuses aventures dans de nombreuses régions. Associez les événements et les régions.

1. Candide habite dans le château de Thunder-ten-tronckh.
2. Candide rencontre Jacques et retrouve Pangloss.
3. Candide et Pangloss survivent à un tremblement de terre.
4. Candide part combattre les jésuites avec l'armée espagnole.
5. Un gouverneur veut épouser Cunégonde à la place de Candide.
6. Candide retrouve le frère de Cunégonde, devenu commandant jésuite.
7. Candide tue deux singes et est presque mangé.
8. Candide quitte un pays merveilleux dans une machine.
9. Candide propose au pauvre Martin de voyager avec lui.
10. Candide va au théâtre et perd au jeu.
11. L'exécution d'un amiral choque Candide.
12. Candide ne va pas au carnaval, mais retrouve Cacambo.
13. Candide cultive son jardin.

a. Venise
b. Eldorado
c. Cadix
d. Hollande
e. Westphalie
f. Paraguay
g. Portsmouth
h. Buenos-Ayres
i. Le pays des Oreillons.
j. Paris
k. Lisbonne
l. Constantinople
m. Surinam

2 Associez les informations suivantes aux différents personnages.

1. Candide
2. Pangloss
3. Cunégonde
4. Martin
5. La vieille

a. Philosophe optimiste, est pendu un jour de pluie, pense que tout est pour le mieux dans le meilleur des mondes.

b. Fille du baron de Thunder-ten tronckh, jeune et grasse au début, vieille et laide à la fin, excellente pâtissière.

c. Pauvre, rencontre Candide à Surinam, pessimiste, pense que travailler est le seul moyen de supporter la vie.

d. Fille d'un pape et d'une princesse, soigne Candide, ne parle jamais de ses malheurs.

e. Élève de Pangloss, naïf, amoureux de Cunégonde, personnage principal, pense qu'il faut cultiver son jardin.

3 Dans quel lieu de l'exercice 1, Voltaire parle-t-il ...

1. ... de l'esclavage ? → ....
2. ... de l'Église ? → ....
3. ... d'un lieu presque idéal ? → ....
4. ... d'un faux « meilleur des mondes » ? → ....
5. ... d'un endroit acceptable pour vivre ? → ....
6. ... de guerre ? → ....

4 De tous les pays visités par Candide, lequel vous fait le plus rêver ? Pourquoi ?

....

....

5 Placez les régions de l'exercice 1 sur la carte et dessinez le tracé de son voyage.

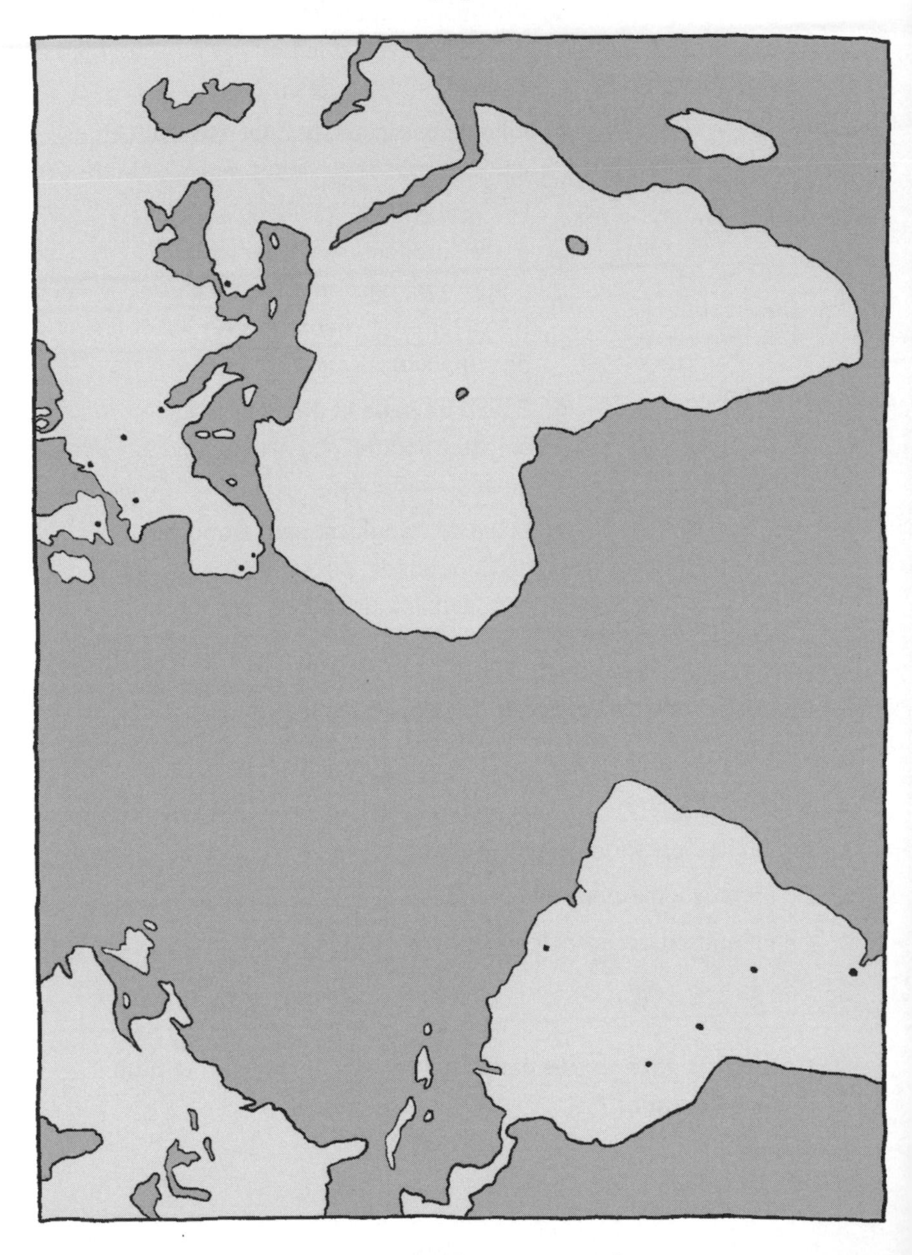

FICHE 1 VOLTAIRE

© Shutterstock

Voltaire, de son vrai nom François-Marie Arouet (Paris - 1694, Paris - 1778) est l'un des philosophes les plus importants des Lumières *(voir la fiche sur Les Lumières)*.

Élevé dans une famille bourgeoise, il fait des études dans le prestigieux collège Louis-le-Grand, puis à l'université de droit de Paris. Mais c'est l'écriture qui le passionne. Très à l'aise dans la société bourgeoise, il fréquente les salons mondains[1]. Ses écrits satiriques[2], sa liberté de pensée et ses prises de position lui apportent des ennuis tout au long de sa vie. Il est emprisonné à la Bastille en 1717 pour un texte sur le Régent[3], puis de nouveau en 1726 pour avoir provoqué le chevalier de Rohan, un noble militaire. On l'exile[4] en Angleterre pendant trois ans. Il y découvre Shakespeare, les scientifiques comme Newton et les philosophes comme John Locke. À son retour en France, il écrit de nombreux ouvrages sur les sciences et la philosophie. Après des passages à Berlin et à Genève, il achète en 1758 le château de Ferney, en France, près de la Suisse, où il vit jusqu'à sa mort. Ces vingt années sont une période de travail intense (il écrit plus de quatre cents textes), d'engagement public et de reconnaissance internationale (il reçoit de nombreuses visites de savants, philosophes et écrivains). Enterré en cachette à sa mort à cause de ses attaques contre l'Église, son corps est transféré en 1791 au Panthéon, monument parisien où se trouvent les personnages ayant marqué l'histoire de France.

---

1 Mondain : de la haute société.

2 Satirique : moqueur.

3 Le Régent : nom donné à Philippe d'Orléans, qui gouverne la France jusqu'à ce que le roi Louis XIV soit en âge de le faire.

4 Exiler : obliger une personne à quitter son pays.

1 Lisez le texte. Vrai ou faux ? Justifiez quand vous pensez que c'est faux.

	Vrai	Faux
1. Voltaire est un pseudonyme.	☐	☐
2. Né dans une famille pauvre, Voltaire n'a pas fait d'études.	☐	☐
3. Ce philosophe aimait fréquenter ses semblables.	☐	☐
4. Il n'a jamais cherché à choquer.	☐	☐
5. Voltaire a vécu trois ans en Angleterre.	☐	☐
6. De 1758 à 1778, il voyage et oublie l'écriture.	☐	☐
7. Son enterrement donne lieu à une grande cérémonie à Paris.	☐	☐
8. Aujourd'hui, les cendres de Voltaire sont à Paris.	☐	☐

Justification : ....

....

....

....

2 Trouvez dans le texte un ou plusieurs indices permettant d'affirmer qu'il...

1. ...aimait écrire.

....

....

2. ...il n'est pas toujours resté en France.

....

....

3. ...défendait avec force ses idées.

....

....

Voltaire utilise toutes les formes littéraires pour défendre sa vision du monde et de l'homme. Dramaturge, il remporte son premier succès au théâtre avec la pièce *Œdipe* (1718) à l'âge de vingt-quatre ans, puis avec *Zaïre* (1732). Historien, il raconte l'*Histoire de Charles XII* (1731) et *Le Siècle de Louis XIV* (1751). Poète, il compose en vers *La Henriade* (1723). Épistolier[5], il écrit plus de 21 000 lettres à des écrivains, des souverains, sa famille ou ses amis. Conteur, il amuse et enseigne dans ses contes philosophiques, comme *Zadig* (1747), *Micromégas* (1752) ou *Candide* (1759). Dans toutes ses œuvres, il affirme sa méfiance des grandes institutions religieuses et du pouvoir ; il refuse les dogmes[6] et recherche la vérité ; il défend les libertés de l'homme, la tolérance et la justice ; il s'oppose aux persécutions religieuses et au fanatisme.

3 Les différentes facettes de Voltaire. Complétez la grille.

1. Personne qui écrit des œuvres littéraires.
2. Il écrit des poèmes.
3. Il écrit de très nombreuses lettres.
4. Son récit est fait pour distraire, mais aussi pour instruire.
5. Il écrit pour le théâtre.
6. Il réfléchit sur le monde et les hommes.
7. Il étudie le passé pour comprendre le présent.
8. Il réfléchit et fait part de ses pensées.

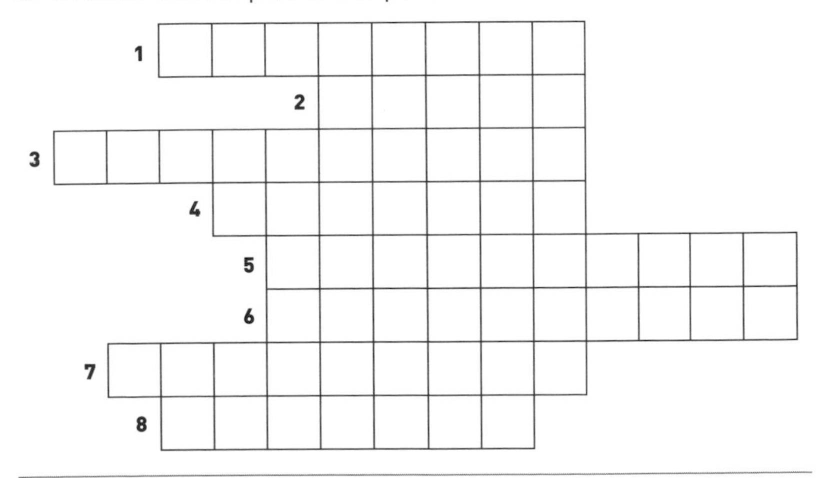

5 Un épistolier : personne qui écrit de nombreuses lettres.
6 Un dogme : une idée présentée comme ne pouvant pas être contestée.

FICHE 2 LES LUMIÈRES

Les Lumières est un grand mouvement d'idées qui a marqué l'Europe au XVIIIe siècle, souvent appelé *Le Siècle des Lumières*. Ce nom symbolise le passage de l'obscurantisme[1] à la connaissance qui doit permettre « d'éclairer » l'homme. En France, des philosophes comme Voltaire, Rousseau, Diderot, Condorcet ou encore Montesquieu participent à cette réflexion. Leur grand principe est de remettre en cause les valeurs et les pratiques traditionnelles afin de rendre l'homme plus heureux. Tous les domaines sont concernés, comme l'économie, les sciences, la philosophie. Ils s'attaquent aussi aux deux grands pouvoirs de l'époque : la monarchie[2] et la religion. Ce mouvement s'intéresse donc de façon concrète à l'organisation de la société et à la vie des personnes. Pour lui, la « raison[3] » et les progrès de la science permettent le bonheur de l'homme. Les philosophes des Lumières luttent par conséquent contre les idées toutes faites et recherchent avant tout la vérité. Ils combattent les privilèges des nobles, le pouvoir absolu du roi, l'intolérance religieuse et l'esclavage. Ils défendent la justice, l'égalité, la liberté de croyance et le développement de l'éducation.

1 Aidez-vous d'Internet pour retrouver quel philosophe cité dans le texte se cache derrière ces informations.

1. Son livre, *Du contrat social* (1762), veut transformer la société de son époque.

→ ....

2. C'est lui qui dirige la rédaction de *L'Encyclopédie*, « l'ancêtre » de Wikipédia.

→ ....

---

1 L'obscurantisme : refus de transmettre le savoir au plus grand nombre de personnes.
2 La monarchie : le régime politique dans lequel le chef de l'État est un roi.
3 La raison : ici, la possibilité de penser et de juger par soi-même.

3. Dans *Lettres persanes* (1721), il critique la société française vue par un étranger.

→ ....

4. Philosophe et mathématicien, ses cendres sont transférées au Panthéon en 1989 !

→ ....

5. Le nom du héros d'un de ses livres est aussi un adjectif.

→ ....

2 Pouvez-vous citer un philosophe de votre pays ? À quel mouvement de pensée appartient-il ? Citez le titre d'un de ses livres.

....

....

....

....

....

Pour défendre et diffuser leurs idées, les philosophes écrivent des livres, débattent dans les salons et les cafés et voyagent en Europe. Les philosophes des Lumières n'ont pas toujours été d'accord les uns avec les autres. Leurs idées ont été combattues par les pouvoirs politiques et religieux. Une grande partie du peuple n'a même jamais entendu parler de leurs idées, faute de moyens de communication. Mais la philosophie des Lumières a bousculé les idées de la société française de l'époque. Elle a inspiré la Révolution française et la constitution des États-Unis d'Amérique. L'esprit des Lumières et leur recherche de bonheur, de liberté et d'égalité sont même toujours d'actualité aujourd'hui. L'ouvrage de référence de cette période est *L'Encyclopédie, dictionnaire raisonné des sciences, des arts et des métiers*. C'est une œuvre de 17 volumes, écrite par plus de 150 auteurs (parmi eux Voltaire, Montesquieu et Rousseau) et dont la rédaction a duré vingt ans. C'est une liste des connaissances humaines dans tous les domaines (les techniques, la religion, les arts, la politique, etc.).

3 Complétez ces citations des philosophes des Lumières.

aime – erreur – sources – inégalité – petites – partout – lois – libre – inutiles – écrire

1. L'homme est né .... et .... il est dans les fers. (Rousseau)
2. Les lois .... affaiblissent les .... nécessaires. (Montesquieu)
3. Il vaut mieux .... de grandes choses que d'en exécuter de .... (Diderot)
4. .... la vérité, mais pardonne l' .... (Voltaire)
5. L'................................ d'instruction est une des principales .... de la tyrannie. (Condorcet)

4 Que pensez-vous des citations de l'exercice 1. Justifiez votre avis.

....

....

....

....

....

....

CORRIGÉS

CHAPITRE 1

1 1. b - 2. a - 3. c - 4. c.

2 1. Il a embrassé Cunégonde.
2. Car l'homme a un nez lui permettant de les porter.
3. Ils pensent que Candide cherche à fuir leur régiment.
4. Non, il se cache pendant la bataille.

3 1. cause.
2. semaine.
3. manœuvrer.
4. maladie.
5. meilleur.
6. hasard.
7. blessure.
Mot mystère : candide.

4 Production libre.

CHAPITRE 2

1 1. faux.
2. vrai.
3. vrai.
4. faux.
5. vrai.
6. faux.
Justification :
1. On l'arrête car il a écouté Pangloss et était d'accord avec lui.
4. Don Issachar vient le samedi et l'inquisiteur arrive le dimanche.
6. Elle pense que son malheur est plus grand que celui de Cunégonde.

2 1. Candide : b, d, f.
2. Cunégonde : a, e, h.
3. La vieille : c, g, i.

3 Je suis dans un **lit** quand les Bulgares arrivent dans notre **beau château**. Un soldat me donne un coup de **couteau** dans le **ventre**. Un capitaine bulgare entre et le **tue**. Je deviens sa **prisonnière**. **Je dois** faire **sa** lessive et **son** linge. Trois mois plus **tard**, quand il n'a plus d'argent, il **me vend** à un Juif. J'arrive dans cette maison. Elle est plus **belle** que mon **ancien** château. Depuis, **j'appartiens** à Issachar et à l'inquisiteur.

4 1. déjeuner.
2. campagne.
3. nuit.
4. cœur.
5. porte.
6. tremblement.

5 Production libre.

CHAPITRE 3

1 1. Il a été empoisonné par une vieille marquise.
2. Ces choses arrivent partout, Cunégonde et Candide les devinent.
3. Un chirurgien l'opère pour donner la fesse à manger aux soldats.
4. Il veut être seul avec Cunégonde pour lui déclarer son amour.
5. Celui d'épouser le gouverneur pour obtenir sa protection.
6. Il a tué l'inquisiteur et les membres de la justice espagnole le recherchent.

2 1. vrai.
2. faux.
3. faux.
4. vrai.
5. faux.
6. faux.
7. vrai.
Justification :
2. L'ennemi se bat pour lui prendre.
3. Il ne la ramène pas en Italie mais la vend au dey d'Alger.
5. Elle y pense mais aime trop la vie.
6. Il ferait des objections.

3 1. mariage.
2. opération.
3. allure.
4. moustache.
5. ennemi.
6. musicien.
7. membre.
8. passager.
Mot mystère : malheurs.

4 Production libre.

CHAPITRE 4

1 1. b. - 2. a. - 3. c. - 4. a. - 5. a.

2 **Ordre des phrases :** 8 - 3 - 6 - 1 - 7 - 2 - 5 - 4.

3 1. barrière.
2. émotion.
3. enterrer.
4. désespoir.
5. réveil.
6. territoire.
7. paysage.

4 et 5 Productions libres.

CHAPITRE 5

1 1. Le pays est bien protégé par la nature et très difficile d'accès.
2. Cunégonde n'y est pas et ils sont comme tous les autres.
3. Ils ont emporté de l'or et des pierres précieuses.
4. Candide accepte très vite son offre, alors il se dit que Candide peut facilement payer plus.
5. Non. Il pense que tout va bien seulement dans Eldorado.

2 1. e. extraordinaire → repas
2. c. pauvre → village
3. f. drôles → questions
4. a. merveilleuse → nourriture
5. g. étranges → cadeaux
6. b. favorite → maîtresse
7. d. malheureux → gens

3 1. Les maisons du village ressemblent à des palais d'Europe.
2. De hauts rochers et des précipices entourent Eldorado.
3. Une machine permet de passer au-dessus des montagnes.
4. Ils ont cinq ou six millions de diamants dans leurs poches.
5. Candide offre le dîner et écoute les histoires de tout le monde.
6. Il manque une jambe et un bras à l'homme allongé par terre.

4 et 5 Productions libres.

CHAPITRE 6

1 1. b. - 2. b. - 3. a. - 4. c. - 5. b.

2 1. Il était sur le bateau de M. Vanderdendur qui l'avait volé à Candide.

2. Elles pensent Candide riche et espèrent obtenir de l'argent contre leur aide.
3. Car ils dépensent plus d'argent pour obtenir le Canada que la valeur de ce pays.
3 1. Candide et Martin.
2. Un mouton.
3. Vanderdendur.
4. Un abbé.
5. Un homme savant.
6. La marquise.
4 1. d. - 2. c. - 3. e. - 4. b - 5. a.
5 Production libre.

CHAPITRE 7

1 1. Il veut vérifier s'ils sont heureux.
2. Il pense que cet argent va les rendre encore plus malheureux.
3. Tout ce qu'il possède l'ennuie rapidement.
4. Ils ont tous été de puissants seigneurs, aujourd'hui déchus.
5. Ils sont venus assister au carnaval.
6. Car il va bientôt revoir Cunégonde.
2 1. pari, heureux.
2. religieux, parents.
3. chantent, chez eux.
4. tableaux, nature.
5. heureux, triste.
6. royaume, carnaval.
3 1. Candide est : étonné, heureux, simple.
2. Paquette est : jolie, malheureuse, jeune.
3. Le sénateur est : riche, vieux, supérieur.
4 **Ordre des phrases** : 4 - 6 - 5 - 3 - 2 - 1.
5 Production libre.

CHAPITRE 8

1 1. faux. - 2. vrai. - 3. faux. - 4. vrai. - 5. faux.
Justification :
1. Il a acheté Cunégonde au gouverneur et payé un pirate pour le voyage.
3. Elle est devenue laide.
6. Au contraire, il faut travailler et cultiver son jardin.
2 a. Candide écoute les **malheurs** de la vieille et perd Cunégonde !
b. Ce qui **arrive** en France à Candide et Martin.
c. Candide **perd** Pangloss, **retrouve** Cunégonde et part au Paraguay.
d. Comment Candide finit par **cultiver** son jardin.
e. De **Westphalie** jusqu'au Portugal.
f. Ce que Candide fait en Eldorado et pourquoi il le **quitte**.
g. En **attendant** Cunégonde à Venise.
h. Pourquoi Candide tue son ancien maître et **deux singes**.
Ordre des titres : 1. e. - 2. c. - 3. a. - 4. h. - 5. f. - 6. b. - 7. g. - 8. d.
3 1. esclave - 2. cœur - 3. reculer - 4. liberté - 5. travailler - 6. serviette - 7. mosquée - 8. parfumer.
Mot mystère : cultiver.
4 Production libre.

ACTIVITÉS DE SYNTHÈSE

1 1. e. - 2. d. - 3. k. - 4. c. - 5. h. - 6. f. - 7. i. - 8. b. - 9. m. - 10. j. - 11. g. - 12. a. - 13. l.
2 1. e. - 2. a. - 3. b. - 4. c. - 5. d.
3 1. Surinam. - 2. Paraguay et Lisbonne. - 3. Eldorado. - 4. Westphalie. - 5. Constantinople. - 6. Paraguay et Westphalie.
4 Production libre.
5 Voir carte page suivante.

FICHE 1

1 1. vrai. - 2. faux. - 3. vrai. - 4. faux. - 5. vrai. - 6. faux. - 7. faux. - 8. vrai.
Justification :
2. Il est né dans une famille bourgeoise et a fait des études de droit.
4. Ses écrits satiriques et ses prises de position lui valent des ennuis toute sa vie.
6. Il publie plus de quatre cents textes durant ces années.
7. Il est enterré en cachette.
2 1. Il écrit un texte sur le Régent en 1717, puis écrit de nombreux ouvrages sur la science et la philosophie, puis plus de quatre cents textes entre 1758 et 1778.
2. Il passe trois ans en Angleterre, puis voyage en Allemagne et en Suisse.
3. Il a été emprisonné deux fois à la Bastille.
3 1. écrivain - 2. poète - 3. épistolier - 4. conteur - 5. dramaturge - 6. philosophe - 7. historien - 8. penseur.

FICHE 2

1 1. Rousseau.
2. Diderot.
3. Montesquieu.
4. Condorcet.
5. Voltaire.
2 Production libre.
3 1. L'homme est né **libre** et **partout** il est dans les fers. (Rousseau)
2. Les lois **inutiles** affaiblissent les **lois** nécessaires. (Montesquieu)
3. Il vaut mieux **écrire** de grandes choses que d'en exécuter de **petites**. (Diderot)
4. **Aime** la vérité, mais pardonne l'**erreur**. (Voltaire)
5. L'**inégalité** d'instruction est une des principales **sources** de la tyrannie. (Condorcet)
4 Production libre.

ACTIVITÉS DE SYNTHÈSE

5 Carte complétée :

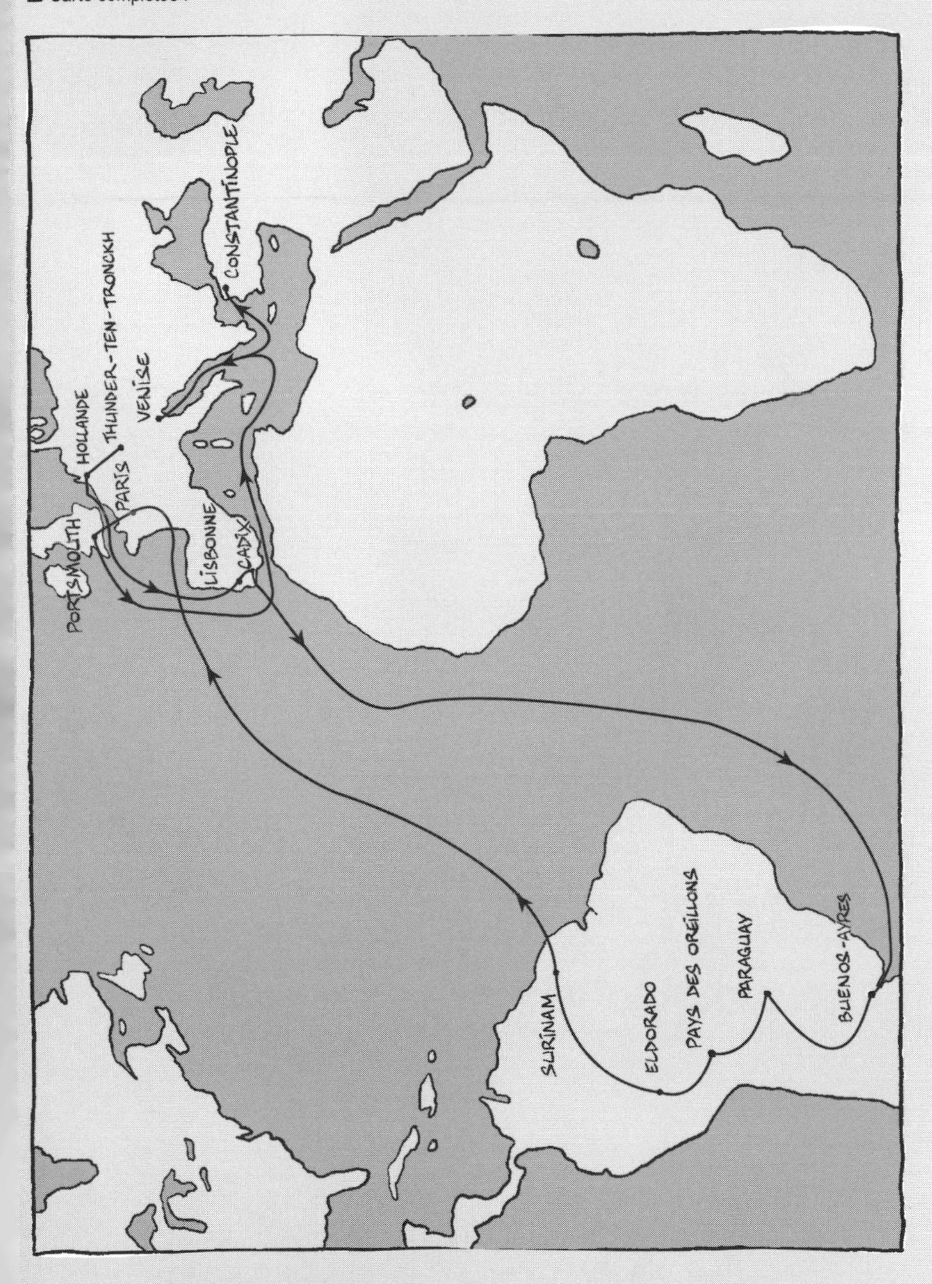

Imprimé en France, par la Nouvelle Imprimerie Laballery - N° 804409
Dépôt légal : juin 2018 - Collection n° 47 - Édition 01 - **16/5904/0**